D1554127

LEGGENDE E RACCONTI ITALIANI

E Quindici Canzoni Popolari Tradizionali

by

LUIGI and MARY BORELLI

New Revised and Enlarged Edition

S. F. VANNI
Publishers and Booksellers
30 West 12th Street · New York, N.Y. 10011

INDICE

Il nome Sicilia 5

Il turista distratto 9

Il lupo di Gubbio 12

Due racconti dal "Novellino" 16

L'età dell'uomo 19

I frati e il mercante 23

Ii cacciatore, la serpe e la volpe 26

Chi ha ragione? 30

Cichibio e la gru 33

Magnifici regali 36

Gli scarafaggi 39

Troppo sale 43

La Vernaccia 48

La Fata Morgana 53

La truffa di Tommaso 56

La pelle dell'orso 60

L'eremita pittore 65

Gagliaudo e la mucca 68

La campana sommersa 72

I tre banditi e la morte 76

La bertuccia e lo specchio 80

La novella del falcone 84

Canzoni popolari tradizionali 129

IL NOME SICILIA

C'era una volta[1] un re. Questo re viveva sulla costa orientale del Mediterraneo, dove aveva un regno molto grande, bello e ricco. Egli viveva in un bel palazzo insieme con sua moglie, la regina, e una figlia molto giovane, la principessa. Siccome questa principessa era la loro unica figlia, il re e la regina la amavano molto.

Un giorno arrivò al palazzo una vecchia strega, di quelle che sanno leggere[2] l'avvenire nelle pieghe della mano. Oggi la gente non crede più a queste cose. Ma una volta le streghe erano molto rispettate. Il re, che era molto superstizioso, fece chiamare[3] la vecchia strega e le ordinò di leggere l'avvenire della principessa. La strega diede un'occhiata alla mano sinistra della bella figlia del re, diventò molto seria e non disse nulla.

Allora il re disse:

"Perchè non parli? Ti ordino di dirmi tutto quello che[4] puoi leggere nella mano di mia figlia."

Allora la strega disse:

---

1 c'era una volta: *there was once upon a time*
2 di quelle che sanno leggere: *of those who know how to read*
3 fece chiamare: *sent for*
4 tutto quello che: *all that*

"Tu mi ordini di dire tutto . . . Ecco qui . . ."[5]

E spiegò al re che alcune pieghe della mano sinistra di sua figlia avevano un significato molto triste.

" . . . fra tre anni e un giorno — continuò la strega — la principessa sarà visitata da un nemico di questo paese. Questo nemico sarà fortissimo. Sarà inutile chiudere porte e finestre, sarà inutile combatterlo con soldati, sarà inutile cercare di fermarlo con montagne o fiumi. Il nemico sarà un pericolo mortale per questa bambina. Se tu vuoi salvare la tua bambina, devi mandarla nell'isola del fuoco . . . "

Il re e la regina da quel giorno non ebbero più un momento di pace. Finalmente, dopo molte settimane di preoccupazione, presero una decisione. Per impedire al nemico mortale di toccare la principessa, la misero in una barca e con lei misero nella barca molte cose da mangiare[6] e acqua sufficiente per un viaggio molto lungo. Quindi le dissero di seguire sempre il cammino del sole per potere così arrivare all'isola del fuoco. Quell'isola era speciale, era diversa da tutte le altre isole, perchè aveva una grande montagna con fuoco dentro. Secondo la strega, il nemico mortale non aveva nessun potere su quell'isola.

Appena la barca fu pronta, un dolce vento si alzò e come per incanto si mise a soffiare verso Ovest. Il vento soffiò sempre nella stessa dire-

---

5   ecco qui: *here it is*
6   molte cose da mangiare: *many things to eat*

6

zione per molti mesi, finchè la principessa una bella mattina di primavera vide davanti a sè una magnifica isola: e c'era una montagna molto alta, che mandava fumo dalla cima. Allora la principessa capì che quella era l'isola della sua salvezza. Il viaggio in mare era durato[7] più di un anno. Ma adesso il viaggio era finito.[8]

La principessa dunque scese a terra e incominciò a camminare. Entrò così in una bella valle.

Dopo breve tempo incontrò un giovane pastore, il quale le sorrise. Presto diventarono amici. La principessa trovò buona accoglienza anche fra i parenti del giovane pastore. Fu invitata a rimanere un po' con la sua famiglia e nel giro di poche settimane il giovane pastore e la principessa decisero di sposarsi.

Tutti erano pieni di entusiasmo per la graziosa fanciulla. Lei era piena di gioia per avere trovato[9] un compagno così devoto. Il pastore era pieno di gioia per avere trovato una compagna così bella.

Un giorno, mentre tutta la famiglia era riunita a pranzo e tutti facevano i complimenti al pastore per avere trovato una sposa così bella, questi in un momento di allegria disse:

"Noi non abbiamo mai pensato a dare un nome alla nostra isola. Ora io voglio onorare mia moglie e insieme l'isola, in cui viviamo. Quest'isola si chiamerà come mia moglie!"

---

7   era durato: *had lasted*
8   era finito: *was over*
9   per avere trovato: *at having found*

E allora tutti insieme chiesero alla principessa: "Come ti chiami? Come ti chiami?"

E la principessa, che ormai non aveva più paura del nemico mortale, disse:

"Mi chiamo Sicilia."

E tutti ripeterono in coro: "Sicilia! Sicilia!"

Non fa meraviglia se l'isola degli aranci, del sole e del fuoco abbia un nome così sorridente: è il nome di una principessa.

[leggenda siciliana]

EXERCISES

1. Dove viveva il re?
2. Come era il suo regno?
3. Chi arrivò un giorno al palazzo?
4. Che cosa fece il re?
5. Che cosa spiegò la strega al re?
6. Che cosa fecero finalmente il re e la regina?
7. Dove misero la principessa?
8. Che cosa le dissero di fare?
9. Perchè era speciale quell'isola?
10. Che cosa fece il vento appena la barca fu pronta?
11. Come era la montagna?
12. Quanto tempo era durato il viaggio?
13. Chi incontrò la principessa dopo breve tempo?
14. Perchè era piena di gioia la principessa?
15. Che cosa non fa meraviglia?

TURISTA DISTRATTO

C'era una volta[1] un uomo di Milano che aveva molto desiderio di visitare la città di Roma. A Roma ci sono molti monumenti antichi e anche molti edifici moderni, che sono proprio belli. E poi ci sono molti musei, molte chiese antiche e moderne, insomma è una città veramente interessante, specialmente per i turisti.

Dunque il nostro turista milanese decise di andare a Roma. Questa storia è stata raccontata per la prima volta quasi due secoli fa.[2] Allora non c'era ancora l'automobile e neppure il treno. Quindi il nostro turista fece il viaggio in parte a piedi, in parte a cavallo. Il viaggio non fu certo molto comodo.

Comunque, dopo giorni e giorni di viaggio, finalmente vide di lontano sull'orizzonte la grande cupola di San Pietro. E dopo un po' arrivò alla porta principale della città. Il nostro turista già sognava tutte le belle cose, che si possono vedere[3] nella splendida città di Roma, ma intanto si sentiva molto stanco. Con la mente ogni tanto[4] pensava alla sua Milano, alla sua comoda casa, al suo comodo letto, alla sua comoda poltrona

---

1   c'era una volta: *there was once upon a time*
2   due secoli fa: *two centuries ago*
3   che si possono vedere: *that can be seen*
4   ogni tanto: *every now and then*

vicino alla finestra. Insomma non era ancora entrato in Roma, che già sentiva nostalgia per la sua comodissima casa.

Proprio mentre passava sotto la porta grande della Città Eterna, si sentì chiamare[5] da qualcuno che stava seduto in una bella carrozza, tirata da quattro robusti cavalli.

Chi era? Era il suo amico Sempronio, che lo chiamava.

"Ambrogio, Ambrogio, come stai? Che sorpresa vederti qui a Roma!" E fece fermare[6] i cavalli.

Anche il nostro Ambrogio fu molto contento di vedere l'amico milanese. Ambrogio dunque gli chiese:

"Dove vai?"

"Torno a casa! Perchè non vieni con me? Prendi l'occasione buona! Vieni a casa con me, così ci faremo compagnia[7]."

"Sì, questa è un'ottima idea" — replicò stanco e distratto il buon Ambrogio. L'occasione gli sembrò tanto buona che salì nella carrozza dell'amico e tornò a Milano senza avere visitato le bellezze di Roma.

[*da una lettera di Alessandro Manzoni*]

---

5 si sentì chiamare: *hc heard himself called*
6 fece fermare: *he stopped*
7 ci faremo compagnia: *we shall keep each other company*

EXERCISES

1. Che desiderio aveva l'uomo di Milano?
2. Che cosa c'è da vedere a Roma?

3. Quando è stata raccontata questa storia?
4. Come fece il turista il suo viaggio?
5. Come era il viaggio?
6. Che cosa vide finalmente il turista dopo giorni e giorni di viaggio?
7. Dove arrivó dopo un po'?
8. Che cosa sognava già il turista?
9. Come si sentiva il turista?
10. A che pensava ogni tanto il turista?
11. Che cosa accadde proprio mentre il turista passava sotto la porta grande?
12. Dove stava seduto l'amico?
13. Che cosa gli disse Sempronio?
14. Di che cosa fu contento Ambrogio?
15. Che cosa fece Ambrogio dell'invito dell'amico Sempronio?

IL LUPO DI GUBBIO

Al tempo in cui San Francesco abitava nella città di Gubbio, comparve nelle campagne situate attorno a quella città un lupo grandissimo, terribile e feroce, che divorava non solo gli animali ma anche gli uomini. Tutti gli abitanti di Gubbio avevano paura del lupo, perchè spesso questo feroce animale si avvicinava alla città, minacciando persino di uccidere i bambini nelle strade. San Francesco ebbe compassione di quella gente e decise di affrontare quell'animale così feroce.

Tranquillamente San Francesco uscì dunque dalla città e si recò al luogo dove recentemente era stato visto il lupo. Appena il lupo vide di lontano San Francesco che veniva proprio nella sua direzione, gli andò incontro[1] con la bocca aperta. San Francesco però non si spaventò, anzi continuò a camminare e quando gli fu vicino lo chiamò benevolmente. Allora avvenne il grande miracolo. Il lupo chiuse la bocca e cambiò atteggiamento e si avvicinò mansuetamente al santo e diventò docile come un agnello.

Allora San Francesco, che sapeva farsi capire[2]

---

1 gli andò incontro: *he went to meet him*
2 sapeva farsi capire: *knew how to make himself understood*

da tutte le creature di Dio, incominciò a parlare al lupo e gli disse:

"Senti, frate lupo, tu fai molti danni in questa regione e uccidi le creature di Dio, senza che nessuno te ne abbia dato il permesso.[3] Dunque tu meriti di essere impiccato, meriti di essere trattato come un omicida. La gente ha ragione a lamentarsi di te, perchè tu tratti male la gente. Insomma in questa regione tutti ti odiano. Adesso però, frate lupo, io voglio mettere la pace fra te e questa gente. E voglio che tu diventi buono. Tu non devi offendere nessuno. E tu vedrai che, se fai così, anche la gente ti vorrà bene[4] e nessuno ti darà più la caccia."

Quando San Francesco ebbe finito di dire queste parole, il lupo con atti del corpo, muovendo la coda e le orecchie, e inchinando la testa, fece vedere che[5] accettava la proposta di San Francesco. Allora San Francesco continuò:

"Dunque frate lupo, tu prometti di essere sempre buono. Ed io ti prometto che gli uomini di questa regione ti tratteranno bene. Ti daranno da mangiare[6] per tutta la vita. Così tu non soffrirai la fame. E quindi tu non farai più le cattive azioni che hai fatto finora. Siamo d'accordo? Prometti?"

Il lupo inchinò la testa, facendo vedere che[7]

---

3 senza che nessuno te ne abbia dato il permesso: *without anyone's giving you permission*
4 ti vorrà bene: *will like you*
5 fece vedere che: *showed that*
6 ti daranno da mangiare: *they will feed you*
7 facendo vedere che: *showing that*

prometteva. Il santo volle una promessa più precisa e distese la mano destra verso il lupo. Allora il lupo alzò la zampa destra e docilmente la mise nella mano di San Francesco.

Fatto questo,[8] San Francesco tornò alla città di Gubbio, e il lupo lo seguì, ubbidiente e docile come un agnello. La gente era piena di gioia. Gli abitanti di Gubbio, maschi e femmine, giovani e vecchi, grandi e piccoli, tutti corsero alla piazza a vedere il lupo con il santo.

Quel lupo visse poi due anni nella città di Gubbio. Entrava e usciva tranquillamente per le case, senza fare male a nessuno e senza che nessuno ne facesse a lui.[9]

[*dai Fioretti di San Francesco*]

---

8 fatto questo: *when he had done this*
9 senza che nessuno ne facesse a lui: *without anyone's doing any (harm) to him*

EXERCISES

1. Come era il lupo di Gubbio?
2. Perchè avevano paura del lupo gli abitanti?
3. Che cosa minacciava di fare il lupo?
4. Che cosa decise San Francesco?
5. Dove si recò San Francesco?
6. Che cosa fece il lupo, appena vide di lontano San Francesco?
7. Come diventó il lupo, quando San Francesco lo chiamò?
8. Che cosa meritava il lupo?
9. Come fece vedere il lupo che accettava la proposta di San Francesco?
10. Che cosa fece il santo per avere una promessa più precisa?
11. Come rispose il lupo?

14

12. Come era il lupo, quando seguì San Francesco nella città di Gubbio?
13. Che cosa fecero gli abitanti di Gubbio?
14. Quanto tempo visse il lupo nella città di Gubbio?
15. Che cosa faceva?

DUE RACCONTI DEL "NOVELLINO"

Il "Novellino" o "Libro di novelle e di bel parlare gentile" è uno dei più bei libri di prosa del Duecento. È una raccolta di cento racconti di argomenti vari, derivati dal mondo antico e dal mondo medioevale. Sono racconti brevi, concisi, scritti in bella lingua toscana. Ecco due esempi:

La Novella delle Pecore

Messer Azzolino usava fare parlare durante le notti d'inverno un narratore di professione, che egli manteneva nel proprio palazzo. Una notte il narratore aveva sonno e Azzolino insisteva a farlo raccontare. Allora il narratore incominciò a raccontare la storia di un pastore che un giorno era andato al mercato a comprare duecento pecore. Sulla strada del ritorno arrivò a un fiume, che egli doveva per forza attraversare. Per fortuna trovò un barcaiuolo, il quale però aveva una barca piccolissima: con quella barca egli non poteva trasportare che una pecora per volta. Il barcaiuolo prese una pecora nella sua barchetta e incominciò a remare. Qui il narratore tacque. Allora Azzolino disse:

"Avanti! Perchè ti sei fermato?"[1]

---

1 perchè ti sei fermato: *why did you stop*

16

Il narratore rispose:

"Lasciamo prima passare tutte le pecore e poi racconterò il resto della storia."

Il Fumo dell'Arrosto

Ad Alessandria ci sono strade, in cui saraceni vendono cibo. La gente va a comprare i piatti già preparati, come noi andiamo in un negozio a comprare della stoffa. Un giorno un povero saraceno passò davanti alla bottega di un cuoco chiamato Fabiàc. Tolse dalla tasca un pezzo di pane e lo tenne sul vapore che usciva da una padella, in cui cuoceva un bell'arrosto; e quindi mangiò il pane. Fabiàc si arrabbiò, afferrò il povero saraceno e gli disse:

"Pagami quello che tu mi hai preso!"[2]

Il povero rispose:

"Ma io non ho preso che fumo!"

Seguì una lunga discussione e alla fine la cosa andò in tribunale. In tribunale la discussione continuò a lungo. Finalmente il giudice pronunziò questa sentenza:

"Il povero ha goduto il vapore, ma non ha toccato l'arrosto. Adesso per punizione egli dovrà prendere una moneta e batterla sul tavolo. La moneta suonerà e con quel suono il cuoco sarà pagato."

[*due racconti medioevali*]

---

2 quello che tu mi hai preso: *what you have taken from me*

EXERCISE

1. Come sono i racconti del "Novellino"?
2. Chi era la persona che Azzolino manteneva nel proprio palazzo?

3. Una notte il narratore non voleva raccontare: perchè?
4. Che cosa aveva fatto il pastore?
5. Che cosa trovò il pastore sulla strada del ritorno?
6. Come era la barca?
7. Quante pecore prese il barcaiuolo nella sua barchetta?
8. Che cosa vendono i saraceni nella strade di Alessandria?
9. Dove passò un giorno un povero saraceno?
10. Che cosa tolse dalla tasca?
11. Che cosa fece del pezzo di pane?
12. Che cosa fece Fabiàc?
13. Che cosa seguì?
14. Dove andò la cosa alla fine?
15. Con che cosa doveva essere pagato il cuoco?

L'ETÀ DELL'UOMO

Tutti sanno che i pagani dell'antichità adoravano molte divinità differenti. Queste divinità erano governate da un re chiamato Giove. Giove era anche adorato come il creatore di tutte le cose, degli animali e dell'uomo. Una favola antica racconta che al momento della creazione Giove diede all'uomo una vita piuttosto corta. L'uomo non era molto contento di avere la vita corta. E siccome era dotato di molta intelligenza, si mise a cercare un mezzo per allungare il periodo di tempo che Giove gli aveva dato.

Nei primi tempi della creazione l'uomo viveva nelle caverne, come gli altri animali della terra. Però dopo un po' l'uomo incominciò a sentire il bisogno di un riparo un po' più comodo. Pensò di costruirsi[1] una casa: quattro muri, un tetto, una porta e possibilmente qualche finestra. Si mise dunque al lavoro[2]. Lavorò la primavera, tutta l'estate e anche l'autunno. Al principio dell'inverno la sua casa era finita. L'uomo lasciò la caverna e andò ad abitare nella casa che era tutta nuova, bella e comoda. Nella sua bella costruzione l'uomo poteva infatti vivere bene, protetto dal vento, dalla pioggia e anche dalla neve.

---

1 costruirsi: *building for himself*
2 si mise dunque al lavoro: *so he set to work*

Fuori faceva molto freddo: un freddo intenso, che penetrava persino nelle ossa, come si dice.[3] Ma nella casa l'uomo stava bene.

Fuori il freddo diventava sempre più intenso. Il cavallo tremava tutto. Proprio non ne poteva più.[4] Un bel momento[5] il povero animale corse alla casa dell'uomo e gli chiese riparo. L'uomo, furbo, non aspettava di meglio. Aprì la porta e invitò il cavallo a entrare. Il cavallo entrò tutto contento. L'uomo chiuse la porta e gli disse:

"Va bene. Tu puoi rimanere qui con me. Ti permetto di rimanere qui al riparo dalla neve e dal vento, ma . . . a un patto."

"A che patto?" domandò il cavallo.

"Tu puoi rimanere nella mia casa al patto che tu mi ceda[6] una parte degli anni di vita che Giove ti ha dato."

Il cavallo non esitò.

"D'accordo!" rispose.

Così l'uomo ottenne una parte degli anni di vita che Giove aveva dato al cavallo.

Dopo un po' anche il bue cominciò a sentire il freddo. Faceva un freddo così intenso, che il bue proprio non ne poteva più. Un bel momento il bue si mise a correre e andò anch'egli alla casa dell'uomo per chiedere riparo. L'uomo, furbo, non aspettava di meglio. Capiva benissimo che anche in quell'occasione c'era qualche cosa

---

3   come si dice: *as we say*
4   non ne poteva più: *he could not stand it any longer*
5   un bel momento: *suddenly*
6   al patto che tu mi ceda: *on condition you give me*

da guadagnare.[7] L'uomo aprì dunque la porta e invitò il bue a entrare. Il bue entrò tutto contento. L'uomo chiuse la porta e gli disse:

"Va bene. Tu puoi rimanere qui con me. Ti permetto di rimanere qui al riparo dalla neve e dal vento, ma . . . a un patto."

"A che patto?" domandò il bue.

"Tu puoi rimanere nella mia casa al patto che tu mi ceda una parte degli anni di vita che Giove ti ha dato."

Il bue non esitò.

"D'accordo!" rispose.

Così l'uomo ottenne una parte degli anni di vita che Giove aveva dato al bue.

Dopo un po' anche il cane cominciò a sentire il freddo. Faceva un freddo così intenso che il cane proprio non ne poteva più. Un bel momento il cane si mise a correre e andò anch'egli alla casa dell'uomo a chiedere riparo. L'uomo, furbo, non aspettava di meglio. L'uomo fu molto contento di potere invitare il cane a entrare nella sua casa. Il cane entrò. L'uomo chiuse la porta e gli disse:

"Va bene. Tu puoi rimanere qui con me. Ti permetto di rimanere qui al riparo dalla neve e dal vento insieme con il cavallo e il bue, ma . . . a un patto."

"A che patto?" domandò il cane.

"Tu puoi rimanere nella mia casa al patto che tu mi ceda una parte degli anni di vita che Giove ti ha dato."

---

7 qualche cosa da guadagnare: *something to be gained*

"Ah, benissimo — rispose il cane — niente di più facile![8] Prendi pure una parte dei miei anni. Purchè io possa[9] rimanere qui con te nella tua casa."

Ecco ora come stanno le cose. L'uomo si mantiene puro e buono, finchè consuma gli anni che Giove gli ha dato. Quando arriva agli anni del cavallo, diventa tutto superbo e borioso. Quando arriva a quelli del bue, diventa saggio e pacifico. E quando, poi si avvicina alla fine della sua vita e consuma gli anni del cane, è un vecchio che brontola e ringhia.

[*favola antica*]

___

8   niente di più facile: *nothing easier*
9   purchè io possa: *provided I can*

EXERCISES

1. Chi adoravano i pagani dell'antichità?
2. Da chi erano governate queste divinità?
3. Che cosa si mise a cercare l'uomo?
4. Dove viveva l'uomo nei primi tempi della creazione?
5. Di che cosa incominciò a sentire il bisogno?
6. Come voleva avere la casa?
7. Quando finì la sua casa?
8. Che tempo faceva fuori?
9. Che cosa fece il povero cavallo, che tremava dal freddo?
10. Che cosa fece l'uomo, quando il cavallo gli chiese riparo?
11. Chi arrivó dopo il cavallo?
12. Chi arrivò dopo il bue?
13. Come è l'uomo quando consuma gli anni di Giove?
14. Come è l'uomo quando arriva agli anni del cavallo?
15. Quando diventa un vecchio che brontola?

I FRATI E IL MERCANTE

Quando i frati minori stanno nei loro conventi, hanno l'abitudine di rispettare rigorosamente la quaresima, digiunando secondo le regole del loro ordine. Però, quando sono in viaggio, essi hanno il permesso di mangiare quello che trovano negli alberghi, dove devono fermarsi.

Una volta due frati arrivarono a un'osteria di campagna in compagnia di un mercante, che per caso faceva lo stesso viaggio con loro. Quell'osteria era molto povera. Appena entrati[1] nell'osteria si misero a sedere[2] e chiamarono l'oste. L'oste arrivò e il mercante gli domandò:

"Dunque che cosa c'è di buono da mangiare[3] oggi?"

"Non molto — rispose l'oste — mi dispiace, ma noi qui in questa campagna siamo poveri e non abbiamo molto."

"Tuttavia devi darci qualche cosa da mangiare, perchè noi camminiamo già da molte ore.[4] Metti dunque in tavola quello che hai."

"Ho un piccolo pollo" — replicò l'oste.

"Va bene — rispose il mercante — porta dun-

---

1 appena entrati: *as soon as they had entered*
2 si misero a sedere: *they sat down*
3 che cosa c'è di buono da mangiare: *what is there good to eat*
4 noi camminiamo già da molte ore: *we have been walking for many hours*

que questo pollo e tutto quello che[5] trovi in cucina."

L'oste andò in cucina e fece del suo meglio[6] per mettere insieme un pranzo discreto per i tre viaggiatori. Siccome però l'osteria era povera, il pollo non era molto grasso. Anzi era magro. Era magrissimo. Era pelle e ossa. Insomma, quando l'oste portò in tavola quel misero pollo con un po' di verdura bollita, i tre viaggiatori si guardarono in faccia, senza sapere che cosa fare.[7] Quel pollo certo non poteva soddisfare la fame di tre persone.

A questo punto però il mercante egoista disse:

"Se ricordo bene, i frati devono digiunare in questi giorni di quaresima, vero?"

"E . . . sì" — risposero i due poveretti.

"Allora io mangio il pollo." E senza complimenti[8] si mise a mangiare il pollo, lasciando ai due frati la verdura bollita.

Finito il pranzo,[9] ripresero il loro viaggio. Dopo un pezzo di strada arrivarono a un fiume, che era abbastanza largo. L'acqua però non era molto profonda, sicchè era facile attraversare il fiume a piedi. Era facile specialmente per i due frati, che avevano l'abitudine di camminare sempre scalzi. Ma il mercante non sapeva come fare.

---

5   tutto quello che: *all that*
6   fece del suo meglio: *did his best*
7   senza sapere che cosa fare: *without knowing what to do*
8   senza complimenti: *without further ado*
9   finito il pranzo: *when the meal was over*

Sicchè pregò uno dei frati di prenderlo sulle spalle. Il frate volentieri lo prese sulle spalle.

Ma, quando fu arrivato a metà del fiume,[10] gli domandò:

"Senti, tu sei mercante, hai per caso del denaro con te?"

"Certo — rispose il mercante — ho tutto il mio denaro con me."

"Allora mi dispiace tanto — replicò il furbo fraticello — ma noi frati dobbiamo obbedire alla regola del nostro ordine che ci proibisce di avere del denaro con noi..."

E così dicendo, lo gettò nell'acqua.

[*dal "Codice Atlantico" di Leonardo da Vinci*]

---

10   quando fu arrivato a metà del fiume: *when he had arrived half way across the river.*

EXERCISES

1. Dove vivono i frati generalmente?
2. Che abitudine hanno i frati?
3. Che permesso hanno quando sono in viaggio?
4. Dove arrivarono una volta due frati?
5. Chi era con loro?
6. Perchè non c'era molto da mangiare nell'osteria?
7. Che cosa diede loro l'oste da mangiare?
8. Come era quel pollo?
9. Chi mangiò il pollo?
10. Che cosa fecero i tre viaggiatori, finito il pranzo?
11. Come era l'acqua del fiume?
12. Per chi era facile attraversare il fiume a piedi?
13. Come attraversò il mercante il fiume?
14. Il mercante aveva denaro con sè?
15. Che cosa fece il frate?

IL CACCIATORE, LA SERPE E LA VOLPE

C'era una volta[1] un cacciatore. Questo cacciatore usava andare a caccia nei boschi. Un giorno
il cacciatore, mentre andava a caccia in un bosco,
osservò che sotto una grossa pietra c'era una serpe. La pietra era molto pesante e la serpe ne era
prigioniera. La serpe disse al cacciatore:

"Io non posso muovermi. Liberami, per piacere."

Il cacciatore rispose:

"Se ti libero, tu mi morderai."

"No — rispose la serpe — se tu mi liberi, ti
prometto che non ti morderò."

Allora il cacciatore spostò la pietra e liberò la
serpe. Ma ecco che appena liberata,[2] la serpe
fece l'atto di[3] mordere il buon cacciatore. Questi
allora gridò:

"Che cosa fai? Tu mi hai promesso di non
mordermi."

Ma la serpe replicò:

"Amico mio, quando uno ha fame, non mantiene
le promesse."

Allora l'uomo disse:

"Aspetta un momento. Facciamo un patto. Andiamo a domandare a tre animali del bosco, se

---

1 c'era una volta: *there was once upon a time*
2 ecco che appena liberata: *now as soon as she was free*
3 fece l'atto di: *made a move to*

tu hai proprio il diritto di mangiarmi. Se essi
dicono di sì,[4] allora tu farai quello che vorrai.
Ma se dicono di no,[5] tu non mi toccherai."

La serpe accettò il patto. E così si misero in
cammino[6] per il bosco.

Incontrarono un vecchio cane e il cacciatore gli
domandò:

"Ho liberato la serpe e adesso essa vuole mordermi. Ha ragione?"

Il cane rispose:

"Io avevo un padrone che mi voleva bene,[7] quando ero giovane, perchè lo proteggevo. Ma, adesso
che sono vecchio, mi ha cacciato via e voleva
anche uccidermi. Così sono gli uomini. La serpe
fa bene a morderti, così tu pagherai per le ingiu-
stizie degli uomini".

La serpe disse:

"Ecco, il cane dice che io ho ragione."

Camminarono ancora un po' e incontrarono
un vecchio cavallo.

Il cacciatore sùbito gli domandò:

"Ho liberato la serpe e adesso essa vuole
mordermi. Ha ragione?"

Il cavallo rispose:

"Io ho lavorato tutta la vita per il mio padrone. E adesso che sono vecchio, vuole uccidermi.
La serpe fa bene a morderti, per punire in te tutti
gli uomini ingrati."

---

4 se essi dicono di sì: *if they say yes*
5 se dicono di no: *if they say no*
6 si misero in cammino: *they set out*
7 mi voleva bene: *was fond of me*

La serpe commentò:

"Anche il cavallo dice che io ho ragione."

Camminarono ancora un po' e incontrarono una volpe. Il cacciatore le fece la stessa domanda. Ora tutti sanno che la volpe è un animale molto furbo. Essa rispose:

"Ah... senza conoscere tutte le circostanze del fatto, io non posso dire niente. Andiamo a vedere la pietra, sotto la quale si trovava la serpe. La serpe si metterà di nuovo sotto la pietra, proprio come prima, e tu, cacciatore, la libererai di nuovo in mia presenza. Poi dirò la mia esatta opinione."

Ora tutti sanno che la serpe ha la testa piccola. Cioè ha poco cervello. Tornarono dunque alla pietra. Il cacciatore alzò la pietra e la serpe si mise al posto di prima.

Allora la volpe, furba, disse:

"Ecco, adesso sei di nuovo sotto la pietra. Ci rimarrai per sempre!"

E questo è il motivo per cui,[8] dicono, le serpi stanno sempre sotto le pietre.

[*leggenda pugliese*]

---

8   questo è il motivo per cui: *this is the reason why*

EXERCISES

1. Che cosa usava fare il cacciatore?
2. Che cosa osservò un giorno?
3. Che cosa fece l'uomo per la serpe sotto la pietra?
4. Che cosa fece la serpe appena liberata?
5. Che cosa fecero i due quando la serpe accettó il patto?
6. Chi incontrarono?

7. Secondo il cane, la serpe faceva bene a mordere il cacciatore?
8. Chi incontrarono poi?
9. Perchè il cavallo disse che la serpe faceva bene a mordere il cacciatore?
10. Chi incontrarono poi?
11. Che tipo di animale è la volpe?
12. Che tipo di animale è la serpe?
13. Che cosa fecero?
14. Che cosa fece il cacciatore?
15. Dove si mise la serpe?

CHI HA RAGIONE?

Un uomo che abitava nella città di Bari decise di andare in pellegrinaggio e prima di partire lasciò trecento ducati ad un tale, che credeva il suo più intimo amico. Lasciò dunque il denaro all'amico fidato con questo preciso patto:

"Se per caso non torno, darai questo denaro in elemosina per la salvezza dell'anima mia. Se torno, mi restituirai quello che tu vorrai."

Ciò detto,[1] il buon uomo partì. E dopo un certo tempo, finito il pellegrinaggio,[2] ritornò a casa. Dopo che si fu riposato dal lungo viaggio andò dal suo amico e gli chiese il denaro. L'amico lo guardò molto sorpreso. Poi si mise a sorridere. Infine gli disse:

"Bene. Tu sei tornato. Adesso, ripeti un po' il patto che tu mi hai fatto, quando sei partito."

L'altro rispose:

"Bene, ti ho detto: — Se per caso non torno, darai questo denaro in elemosina per la salvezza dell'anima mia. Se torno, mi restituirai quello che tu vorrai."

"Ecco, benissimo — replicò allora l'amico — i patti sono sacri e io voglio rispettare questo patto.

---

1 ciò detto: *when he had said this*
2 finito il pellegrinaggio: *when the pilgrimage was over.*

Dunque ecco qui per te dieci ducati,[3] che è quello che io voglio restituirti. Gli altri duecentonovanta li voglio io."

Il pellegrino allora cominciò ad arrabbiarsi e disse:

"Che fede è questa? Tu non sei un amico. Questo è un falso."

L'amico però, che aveva dalla sua parte[4] la parola, se non lo spirito della legge, gli rispose:

"Senti, io non ti faccio nessun torto. Ma se credi che io ti faccia torto, andiamo davanti al giudice."

Così fecero infatti.

Ora bisogna sapere che a Bari c'era in quel tempo un giudice molto famoso per la sua saggezza. Il giorno stabilito, i due apparvero davanti a lui. Il giudice sentì le due parti contendenti e poi si mise a meditare a lungo sul difficile caso.

Indubbiamente l'amico infedele aveva ragione. Aveva dato al pellegrino quello che aveva voluto restituirgli: dieci ducati. Tuttavia il giudice non voleva decidere contro chi[5] in realtà aveva ragione davvero, cioè il povero pellegrino.

"Ora tu volevi duecentonovanta ducati. Rendi dunque questa somma al pellegrino. Il patto implica naturalmente che tu ti tenga quello che non vuoi. Perciò il pellegrino ti darà proprio quei dieci ducati che tu non desideri."

---

3 ecco qui per te dieci ducati: *here are ten ducats for you*
4 dalla sua parte: *on his side*
5 contro chi: *against the one who*

Il falso amico dovette restituire il denaro non suo ed il pellegrino se ne andò a casa[6], lodando la saggezza del giudice.

[*dal Novellino*]

6 se ne andò a casa: *he went off home*

EXERCISES

1. Che cosa decise l'uomo di Bari?
2. Che cosa fece prima di partire?
3. Che cosa fece l'uomo dopo un certo tempo?
4. Che cosa fece dopo che si fu riposato?
5. Come lo ricevette l'amico?
6. Quanti ducati gli ha dato l'amico?
7. Come reagì il pellegrino?
8. Davanti a chi decisero di andare?
9. Come era di giudice di Bari?
10. Quando apparvero davanti al giudice?
11. Che cosa fece il giudice dopo aver sentito le due parti contendenti?
12. Perchè aveva ragione l'amico infedele?
13. Contro chi non voleva decidere il giudice?
14. Che cosa dovette fare il falso amico?
15. Che cosa fece il pellegrino?

CHICHIBIO E LA GRU

Gennaro Gianfigliazzi era un signore molto ricco e liberale. Egli si divertiva molto ad andare a caccia e ad invitare ai suoi banchetti molti amici. Un giorno, essendo andato a caccia come al solito,[1] prese una bella gru. Tornato a casa, diede la gru al suo cuoco, perchè la facesse cuocere.[2] Il cuoco di Corrado si chiamava Chichibio. Dunque Chichibio prese la gru e incominciò a prepararla per farla cuocere. Dopo avere preparato la gru, la mise in una padella. Quindi mise la padella sul fuoco. Dopo un po' di tempo la padella incominciò a mandare un appetitoso profumo per la cucina.

Proprio in quel momento entrò nella cucina una giovane contadina, di cui Chichibio era molto innamorato. Quella giovane contadina si chiamava Brunetta. Dunque Brunetta sentì il buon profumo che veniva dalla padella e chiese a Chichibio un pezzo dell'arrosto, che cuoceva nella padella. Chichibio, essendo innamorato, non seppe dire di no:[3] prese dalla padella una coscia dell'animale e la diede alla bella contadina.

All'ora del pranzo, Chichibio portò la gru, ben

---

1 essendo andato a caccia come al solito: *going hunting as usual*
2 perchè la facesse cuocere: *so that he would cook it*
3 non seppe dire di no: *could not say no*

33

cotta e senza una coscia, alla tavola del banchetto del padrone. Corrado e gli amici si meravigliarono, vedendo la gru con una coscia sola.

Corrado chiamò il cuoco e in presenza di tutti disse: :

"Questa gru ha dunque una coscia sola?"

"Sissignore", rispose Chichibio.

"È impossibile."

"Di solito — aggiunse Chichibio — le gru hanno una coscia e una zampa sola."

Corrado si arrabbiò e disse:

"Bene, domani andremo a caccia insieme e vedremo quante zampe hanno le gru."

Il giorno dopo Chichibio dovette andare a caccia col padrone. Siccome era ancora mattino presto, le gru dormivano ancora. Dormivano come dormono sempre le gru, cioè su una zampa sola. Allora Chichibio incominciò a dire:

"Ecco, queste gru hanno una zampa sola."

Ma Corrado gridò "Ohi, ohi!" Allora le gru scapparono e anche Chichibio vide che avevano tutte due le zampe. Allora Corrado disse:

"Ecco, tutte le gru hanno due zampe."

Chichibio adesso aveva pronta una buona risposta:

"Sì, ma il mio signore non gridò "Ohi, ohi!" iersera, quando io misi la gru in tavola. Se no,[4] certo l'animale avrebbe messo fuori l'altra zampa."

Corrado allora rise e il cuoco fu perdonato.

[da una novella di Giovanni Boccaccio]

---

4   se no: *otherwise*

EXERCISES

1. Come era Corrado?
2. Come si divertiva?
3. Che cosa prese un giorno?
4. Che cosa fece Chichibio della gru?
5. Chi entrò nella cucina?
6. Che cosa sentì Brunetta?
7. Che cosa chiese Brunetta a Chichibio?
8. Che cosa fece Chichibio per soddisfare Brunetta?
9. Perchè Corrado e gli amici si meravigliarono?
10. Che cosa dovette fare Chichibio il giorno dopo?
11. Perchè dormivano ancora le gru?
12. Come dormono le gru?
13. Che cosa fecero le gru, quando Corrado gridò "Ohi, ohi!"
14. Che cosa vide Chichibio?
15. Che cosa fece Corrado, quando Chichibio gli spiegò la cosa?

MAGNIFICI REGALI

Subito dopo la scoperta dell'America, gli italiani si accorsero che il commercio marittimo non doveva più rivolgersi verso oriente, ma preferibilmente verso occidente.

In quel tempo viveva a Firenze un tale, che si chiamava Ansaldo. Essendo buon mercante e buon avventuriero, con una nave andò oltre lo stretto di Gibilterra e si mise sul mare aperto. Dopo una furiosa tempesta arrivò alle isole Canarie.

Nell'isola principale c'era un re che conosceva molto bene i mercanti fiorentini. Ansaldo fu dunque ricevuto con tutti gli onori dal re, il quale lo invitò a cena. Anzi fece preparare per l'inaspettato ospite un magnifico banchetto, in una grande sala, tutta risplendente d'oro e di pietre preziose.

Ansaldo fu molto sorpreso nel vedere[1] che lungo le pareti della sala c'erano molti ragazzi armati con dei bastoni. Però appena il cibo fu portato in tavola, Ansaldo capì il motivo della presenza di quei ragazzi. Infatti la sala fu invasa da innumerevoli topi, che si gettarono sui cibi. E i ragazzi intanto cercavano di ammazzarli con i loro bastoni.

Ansaldo allora chiese permesso al re di andare via per un momento. Andò sulla sua nave, e ne

---

1   nel vedere: *at seeing*

tornò poco dopo[2] con una coppia di magnifici gatti. Quei due gatti in un momento cacciarono via tutti i topi dal banchetto e così il re e gli ospiti poterono continuare il loro pranzo senza essere disturbati.

Il re, inutile dirlo,[3] era molto riconoscente, e lo fu ancora di più[4] quando Ansaldo gli diede in regalo quella coppia di gatti. In compenso il re gli diede molti regali ricchissimi, oro, argento, pietre preziose e tante altre cose.

Ansaldo tornò a Firenze e incominciò a raccontare l'avventura agli amici. Fra quegli amici di Ansaldo c'era un tale, che si chiamava Giocondo. Giocondo pensò: se il re delle Canarie ha dato ad Ansaldo tante belle cose in cambio di due gatti, chissà che cosa darà a me, se io gli porto le cose più belle che si possono trovare a Firenze. Detto fatto.[5] Il buon Giocondo vende tutto, compra collane di perle, quadri famosi, stoffe orientali, eccetera, eccetera. Mette tutto su una gran nave e parte alla volta delle Canarie.[6]

Inutile dire che il re fu molto contento di vedere un altro mercante fiorentino. Gli offrì un bel banchetto. Alla fine Giocondo ordinò ai suoi servi di portare tutti i bei regali che aveva portato da Firenze. Il re ne fu molto contento e non sa-

---

2   ne tornò poco dopo: *came back from it in a short time*
3   inutile dirlo: *needless to say*
4   lo fu ancora di più: *was even more so*
5   detto fatto: *no sooner said than done*
6   alla volta delle Canarie: *in the direction of the Canaries*

peva come ringraziarlo. Finalmente gli venne un'idea.

Pensò cioè di regalare a Giocondo quello che aveva di più prezioso[7] nella sua isola e gli offrì così due gattini. Erano nati dalla coppia di gatti che Ansaldo gli aveva regalato a suo tempo per liberare l'isola dai topi.

[*da una novella di Lorenzo Magalotti*]

---

7 quello che aveva di più prezioso: *what was dearest to him*

EXERCISES

1. Di che cosa si accorsero gli italiani subito dopo la scoperta dell'America?
2. Chi era Ansaldo?
3. Che cosa fece Ansaldo?
4. Chi c'era nell'isola principale delle Canarie?
5. Come fu ricevuto Ansaldo?
6. Che cosa fece preparare il re?
7. Perchè fu molto sorpreso Ansaldo?
8. Che cosa facevano i ragazzi?
9. Con che cosa tornò Ansaldo dalla nave?
10. Che cosa fecero i due gatti?
11. Che cosa diede il re ad Ansaldo in compenso dei due gatti?
13. Che cosa comprò Giocondo?
14. Che cosa fece Giocondo dopo il banchetto?
15. Che cosa regalò il re a Giocondo?

GLI SCARAFAGGI

Visse una volta a Firenze un pittore che divenne famoso un po' per i suoi affreschi e molto per
le sue burle. Lo chiamavano di solito Buffalmacco. Ma questo non era che[1] il suo soprannome. E bisogna ammettere che per ricevere un
soprannome così deve essere stato ben buffo. Il
suo vero nome era Buonamico di Cristòfano, ma
nelle cronache del tempo e nei racconti fiorentini
lo troviamo quasi sempre menzionato col soprannome di Buffalmacco.

Una volta, secondo quanto narra lo scrittore
Franco Sacchetti,[2] Buffalmacco si trovava a lavorare come apprendista nella bottega del pittore
Andrea Tafi, che era un altro artista fiorentino,
molto più anziano. Andrea aveva l'abitudine di
mettersi a lavorare il mattino prestissimo per potere approfittare della luce del giorno. E specialmente d'inverno, quando le notti sono troppo lunghe e i giorni sono troppo brevi, Andrea si alzava
a ore incredibili per potere lavorare di più. Al
punto che[3] dipingeva persino quando era ancora
buio, al lume di candele.

In quei tempi le case non erano riscaldate come
al giorno d'oggi e gli apprendisti della bottega di

---

1   non era che: *was only*
2   secondo quanto narra: *as the writer F. S. narrates*
3   al punto che: *to the extent that*

Andrea non amavano rinunciare al sonno e al calduccio del letto per andare a lavorare al freddo. Buffalmacco meno di tutti. Egli dunque si mise a pensare a qualche mezzo per correggere la situazione.

Gli capitò di trovare[4] nella spazzatura una trentina di grossi scarafaggi. Senza sentire ribrezzo li catturò, li mise in una scatola e riuscì ad attaccare sul dorso di ognuno di quegli insetti una piccola candela. Venuto il momento in cui Andrea era solito alzarsi,[5] aperse di poco la porta della sua camera e ci mise dentro gli insetti, dopo avere accese tutte le candele sui loro dorsi.

È facile immaginarsi lo spavento del vecchio pittore, quando vide tante piccole luci vagare in tutte le direzioni nel buio della camera. Pieno di paura si mise a tremare e a raccomandare la propria anima a Dio. Anzi mise la testa sotto la coperta e rimase così, sempre tremando di paura, finchè fu giorno.

Alzatosi quindi dal letto,[6] non trovò nulla sul pavimento. Le bestie erano certo fuggite. Andrea si convinse di essere stato visitato[7] dai diavoli. Ne parlò con Buffalmacco. Gli chiese se non avesse visto qualche cosa di strano, ma l'apprendista rispose che nessuno lo aveva svegliato per andare

---

4 gli capitò di trovare: *he chanced to find*
5 venuto il momento in cui Andrea era solito alzarsi: *when the moment came at which Andrea usually got up*
6 alzatosi quindi dal letto: *then when he got out of bed*
7 si convinse di essere stato visitato: *was sure he had been visited*

a lavorare e che quindi aveva continuato a dormire.

Allora Andrea gli narrò la propria esperienza. La notte seguente il giovane ripetè l'esperimento, col risultato che il buon Andrea non potè chiudere occhio tutta la notte. Il giorno dopo il vecchio si alzò e tornò da Buffalmacco, che sembrava essere pronto a consolarlo e qui l'apprendista ebbe modo di esporre[8] una strana interpretazione del fatto:

"Ho sempre sentito dire che i diavoli sono nemici del buon Dio. Certo sono anche nemici nostri, perchè noi dipingiamo sempre santi e sante nei conventi al fine di rendere la gente migliore. E siccome — aggiunse l'artista pittore — i diavoli sono più potenti di notte che di giorno, è chiaro che continueranno a tormentare questa casa, se noi continuiamo ad avere l'abitudine di alzarci di notte per dipingere."

E fu così che da allora[9] Andrea non si alzò più di notte per dipingere, e i ragazzi della bottega, compreso Buffalmacco, poterono dormire in pace almeno durante le ore buie.

---

8 ebbe modo di esporre: *had a chance to offer*
9 e fu così che da allora: *and so it was that from then on*

EXERCISES

1. Per che cosa divenne famoso il pittore Buffalmacco?
2. Chi era Andrea Tafi?
3. Che abitudine aveva Andrea?
4. Perchè si alzava presto d'inverno Andrea?
5. Amavano gli apprendisti alzarsi presto?

41

6. Che cosa fece Buffalmacco per correggere la situazione?
7. Che cosa trovò nella spazzatura?
8. Che cosa fece degli scarafaggi?
9. Che cosa fece Buffalmacco, venuto il momento in cui Andrea era solito alzarsi?
10. Che cosa vide il vecchio pittore?
11. Di che cosa si convinse Andrea?
12. Che cosa rispose Buffalmacco alla domanda di Andrea?
13. Che cosa fece Buffalmacco la notte seguente?
14. Che cosa ebbe Buffalmacco modo di fare?
15. Quale fu il risultato della burla di Buffalmacco?

TROPPO SALE

Buffalmacco, dopo avere imparato bene l'arte del dipingere alla scuola di Andrea, mise su bottega da sè[1] e incominciò a lavorare così bene che presto ebbe una larga clientela.

Aveva casa e bottega nello stesso edificio, dove abitava in un appartamento contiguo un lanaiuolo, chiamato Capodoca. La moglie di Capodoca era una donna molto laboriosa. Sì, la moglie del lanaiuolo Capodoca era veramente laboriosissima. Lavorava dal mattino alla sera. E, come se non bastasse,[2] lavorava anche di notte. Si alzava la notte, ad ore impossibili, e mentre nella casa tutti dormivano, lei si metteva al filatoio e filava, filava.

Ora non c'è nulla di male a lavorare.[3] E uno, se lavora per conto proprio, può scegliere l'ora che preferisce. Ma le cose cambiano quando uno, lavorando, disturba quelli che dormono.

Bisogna sapere che il nostro buon pittore aveva la sua camera da letto proprio dall'altro lato del muro dove lavorava la filatrice. Pare che il filatoio fosse proprio appoggiato al muro divisorio

---

1 mise su bottega da sè: *set up his own workshop*
2 come se non bastasse: *as if this were not enough*
3 non c'è nulla di male a lavorare: *there is nothing wrong with working.*

nel punto dove, dall'altro lato, c'era la testata del letto di Buffalmacco.

Regolarmente, una notte dopo l'altra, il poveretto era svegliato dal battere ritmico dell'arnese contro il muro. Non erano colpi molto forti, perchè certo non erano dati con intenzione: erano sordi, uguali, insistenti, e comunque forti abbastanza da tenere sveglio anche un ottimo dormitore.

Sappiamo che Buffalmacco, come era giusto, amava avere tutte le sue ore di sonno. Per proteggere dunque il suo diritto pensò di ricorrere a uno stratagemma. Dicono che si tratti di uno stratagemma, ma veramente la sua invenzione ha tutte le apparenze di una burla. Si mise a studiare attentamente come era costruita la casa e specialmente il muro che divideva il suo appartamento da quello di Capodoca.

Era un muro vecchio, pieno di crepe. Attraverso una crepa più larga delle altre si poteva persino guardare dentro la cucina del lanaiuolo. Si poteva vedere quando la donna si metteva a preparare la minestra, mettendo la pentola sul fuoco.

E qui gli venne una di quelle idee, che venivano soltanto a lui. Si fece[4] una lunga canna vuota dentro. Aspettò che la donna andasse fuori della cucina. Poi, spingendo la canna fino alla pentola, ci soffiò dentro una bella quantità di sale.

È facile immaginarsi la faccia di Capodoca,

---

4 si fece: *he made for himself*

quando quel giorno tornò a casa e trovò la minestra talmente salata da sembrare persino amara. Buffalmacco continuò a salare i pranzi e le cene del vicino con assiduità crescente. Anzi dedicò la sua attenzione anche alla carne, alla verdura, insomma a tutti i piatti che riusciva a raggiungere con la canna.

Dall'altra parte Capodoca faceva tremende scenate alla moglie, accusandola di essere troppo disattenta. La poveretta, da parte sua, non sapeva come spiegarsi il fenomeno e sembrava impazzita.

Un giorno che Capodoca non ne poteva più,[5] si mise a insultare la moglie, facendo una voce orribile. Lei disse che non riusciva a capirci niente[6] e che, secondo lei, era un malefizio diabolico. L'uomo al sentirla[7] s'arrabbiò ancora di più e incominciò a fare volare piatti e bicchieri e intanto continuava a gridare. Sembrava impazzito anche lui.

La gente di tutto il vicinato si era raccolta attorno alla porta, un po' per aiutare un po' per curiosare, e fra gli altri arrivò anche Buffalmacco, facendo la faccia più innocente del mondo. Andò diritto dal lanaiuolo e gli domandò di che si trattasse.[8] Quando ebbe ascoltato la faccenda del sale, tirò Capodoca in un angolo e gli disse:

"Senti, caro, permetti che io modestamente ti dia un consiglio?"

---

5   non ne poteva più: *could not stand it any longer*
6   non riusciva a capirci niente: *she could not understand it at all*
7   al sentirla: *upon hearing her*
8   di che si trattasse: *what it was all about*

"Sì, sì, dimmi, dimmi!" replicò il buon uomo tutto affannato.

"Non mi fa affatto meraviglia[9] che tua moglie non abbia la testa a posto.[10] Lavora già dal mattino alla sera, quasi senza interruzione. E poi si alza la notte per filare. E fila per ore e ore. Io lo so, perchè la sento. Io dormo proprio dall'altra parte del muro. Ora come puoi pretendere che questa poveretta abbia la testa a posto? Quando viene il momento di mettere il sale, è così stanca e distratta, che non sa quello che fa, e ne mette troppo."

Buffalmacco ebbe cura di ripetere quel consiglio anche davanti ai vicini, e tutti diedero la loro approvazione. Capodoca ordinò alla moglie di non alzarsi più di notte per lavorare.

Il giorno dopo, come per incanto, la minestra era salata al punto giusto e anche il resto del pranzo andava benissimo. Da allora Capodoca visse felice, e Buffalmacco dormì ancora meglio.

[*dalla "Vita di Buffalmacco" di Giorgio Vasari*]

---

9 non mi fa affatto meraviglia: *it does not surprise me at all*
10 non abbia la testa a posto: *is not right in the head*

EXERCISES

1. Che cosa fece Buffalmacco dopo avere imparato bene l'arte di dipingere?
2. Come era la moglie di Capodoca?
3. Che cosa faceva la moglie di Capodoca?
4. Che cosa faceva la donna, quando si alzava in piena notte?
5. Dove aveva Buffalmacco la sua camera da letto?

6. Da che cosa era svegliato regolarmente?
7. Come erano i colpi dell'arnese?
8. Per proteggere il suo sonno, che cosa fece Buffal-macco?
9. Che cosa si mise a studiare?
10. Che cosa si poteva guardare attraverso la crepa?
11. Come era la minestra di Capodoca?
12. A che cosa dedicó la sua attenzione Buffalmacco?
13. Che cosa faceva Capodoca alla moglie?
14. Perchè si era raccolta la gente attorno alla porta?
15. Che cosa ordinò Capodoca alla moglie?

LA VERNACCIA

Nel Medioevo ci fu un gran fiorire di pittori. Erano ricercati specialmente per la decorazione nelle chiese, dove la gente voleva vedere dipinta sui muri la vita di Gesù, della Madonna e dei Santi.

Uno dei primi incarichi, che ebbe Buffalmacco quando aperse bottega, fu di coprire di affreschi le pareti interne di una chiesa. Era un bell'edificio, annesso al monastero di certe suore dette "faentine", perchè il loro ordine era stato fondato a Faenza.

Arriva dunque Buffalmacco e prima di tutto circonda la sezione, in cui doveva lavorare, con uno steccato per tenere lontani i curiosi. Poi si mette a lavorare.

Come tutti noi sappiamo, un buon pittore non ama condurre vita regolare. Dipinge quando gli salta in mente.[1] Lavora magari per tre giorni senza interruzione. E poi magari dorme per un'intera giornata senza far niente. Inoltre un artista di solito si dimentica in quello che fa e non bada alla proprietà del vestito che porta.

Sembra che Buffalmacco fosse un po' così. Andava in giro vestito di sacco, come un servo, e certe volte gli succedeva persino di recarsi al la-

---

1 gli salta in mente: *he feels like it*

voro senza mantella e senza il cappuccio, che erano un po' come l'uniforme dei pittori di allora.

Alcune suore, che notavano il pittore entrare e uscire a ore strane, cominciarono a criticare il suo modo di vestire. Quelle pie donne pensavano evidentemente che in chiesa tutti devono vestire in modo decente, anche un operaio. E la superiora ne fece parola[2] all'amministratore, il quale avvisò Buffalmacco della critica. Il pittore, che in fondo era un gran brav'uomo,[3] fu un po' sorpreso. Poi gli venne in mente, che le suore per fargli quella critica dovevano averlo osservato[4] attraverso lo steccato. E pensò di preparare loro una piccola burla.

Facendo finta di essere lui il servo, Buffalmacco rispose:

"Avvertirò il maestro."

In un momento in cui sapeva che nessuno lo guardava, prese due seggiole, le mise una sopra l'altra, in cima mise una brocca e sulla brocca gettò un mantello e un cappuccio. Nel becco della brocca infilò un pennello molto lungo e lo appoggiò al muro. Da lontano, guardando attraverso lo steccato, sembrava proprio di vedere un pittore col mantello addosso, nell'atto di dipingere.

Dopo un po' le suore scopersero che un'altra persona, questa volta con mantello e cappuccio,

---

2 ne fece parola a: *reported it to*
3 in fondo era un gran brav'uomo: *was a good man at heart*
4 dovevano averlo osservato: *must have watched him*

stava lavorando. Ne furono contente e andarono
per i fatti loro,[5] dicendosi:

"Finalmente è arrivato il maestro."

Solo dopo quindici giorni, essendo il lavoro
già molto avanti, le suore furono prese dal desiderio di andare vicino alle nuove pitture. E in
quel momento scoprirono la realtà dei fatti. Dal-
l'avventura trassero un buon insegnamento, aven-
do proprio visto con i loro occhi che non si deve
giudicare la gente dal vestito che porta.

Furono piene di ammirazione per gli affreschi
che coprivano le pareti della chiesa. Solo ebbero
a obbiettare sul pallore di certi personaggi della
vita di Gesù. Pregarono quindi il maestro di mettere colori un po' più vivaci su quelle guance.
Non si immaginavano mai più[6] che anche lì c'era
uno scherzo di Buffalmacco ad aspettarle.

Il buon pittore aveva avuto modo di scoprire
fin dal principio, quando lo avevano fatto venire[7]
•per discutere il progetto, che le suore avevano
sempre pronta per gli ospiti una bottiglia di ottima "Vernaccia", che è un vino bianco, dolce
e generoso, molto ben conosciuto dagli intenditori.
Gliene avevano offerto un po' allora, ma l'epi-
sodio non si era poi mai più ripetuto.[8]

Buffalmacco dunque fu posto davanti al pro-

---

5 andarono per i fatti loro: *went about their business*
6 non si immaginavano mai più: *they certainly never
   imagined*
7 quando lo avevano fatto venire: *when they had sent
   for him*
8 non si era poi mai più ripetuto: *had never again
   been repeated*

blema di rallegrare quelle pallide guance con colori un po' più vivaci. Ed ebbe pronta la risposta:

"L'acqua di questi colori è cattiva. Se potessi mettere un po' di Vernaccia nei miei barattoli, quelle facce si ravviverebbero subito."

La suora superiora, che ormai sapeva di avere a che fare con[9] un burlone, gli disse:

"Va bene, ci penseremo, brav'uomo, ci penseremo".

Aveva imparato che gli artisti sono gente un po' strana, ma pensò che in fondo lavorano sempre per la gloria del Signore. E diede ordine in cucina di portargli una buona bottiglia di vino. E non glielo lasciò mai mancare,[10] finchè tutta la chiesa fu dipinta completamente.

[dalla "Vita di Buffalmacco" di Giorgio Vasari]

---

9   di avere a che fare con: *that she had to deal with*
10 non glielo lasciò mai mancare: *she saw to it that he was never without it*

EXERCISES

1. Per che cosa erano ricercati i pittori del Medioevo?
2. Come era la chiesa della nostra storia?
3. Che cosa fa Buffalmacco prima di tutto quando arriva nella chiesa?
4. Come andava in giro Buffalmacco?
5. Che cosa cominciarono a fare alcune suore?
6. Che cosa pensavano quelle pie donne?
7. Che pensò di preparare Buffalmacco?
8. Che cosa accadde dopo quindici giorni?
9. Che cosa avevano visto le suore con i loro occhi?
10. Su che cosa ebbero a obbiettare le suore?
11. Che cosa pregarono il maestro di fare?

51

12. Che cosa aveva avuto modo di scoprire Buffal-
    macco?
13. Che cosa è la Vernaccia?
14. Quale problema aveva Buffalmacco?
15. Che ordine diede la suora superiora?

LA FATA MORGANA

I romani dominarono per molto tempo tutti i popoli d'Europa. Poi l'impero romano diventò debole e altri popoli conquistatori lo distrussero. I barbari del Nord entrarono nella bella penisola italiana: essi erano desiderosi di conquistare le ricche terre del Sud, dove la natura è bella e il clima è mite. Questo periodo di distruzione e conquista fu molto lungo. Gruppi di invasori sempre più numerosi[1] scendevano lungo la penisola verso Sud. E mentre scendevano verso Sud, distruggevano tutto quello che incontravano sul loro cammino.

Una volta un intero esercito di questi barbari invasori attraversò tutta la penisola e arrivò fino all'estremità della Calabria, in un luogo non lontano da Reggio Calabria, sulla costa del mare. Quando arrivarono sulla spiaggia, essi videro davanti a sè, separata da uno stretto di mare piuttosto largo, un'isola magnifica con le coste coperte di ricchi boschi di aranci e di ulivi e una grande montagna — l'Etna — che mandava fumo dalla cima. I barbari desiderarono di andare subito a conquistare quell'isola bellissima. Il loro re andava a cavallo[2] su e giù lungo la spiaggia,

---

1 sempre più numerosi: *more and more numerous*
2 andava a cavallo: *was riding*

53

studiando come portare sull'altra sponda i suoi soldati. Siccome essi erano arrivati fino al fondo della penisola per via di terra, non avevano barche.

Improvvisamente, per mezzo di un incantesimo, una donna molto grande e bellissima si presentò davanti agli occhi del barbaro. La bellissima donna, che aveva sulla faccia un incantevole sorriso, guardò a lungo il re negli occhi e poi gli disse con voce armoniosa:

"O re barbaro! Tu vedi quell'isola felice e vuoi conquistarla, vero? Ebbene, ecco, io te la dò. Quest'isola è tua! Vieni, vieni, vieni con tutti i tuoi soldati! Vieni a prendere la tua isola!"

La bella donna sorrideva sempre e la sua voce era musicale e attraente. Il re guardava un po' la donna e un po' l'isola, sempre più desideroso. Era d'agosto.[3] Il mare era calmo come l'olio. L'aria era ferma. Il cielo era sereno. Soltanto lontano sull'orizzonte si vedeva una leggerissima nebbia azzurra. La donna si voltò verso l'isola e fece un cenno. Allora una cosa straordinaria si presentò agli occhi del re barbaro.

La Sicilia era lì a due passi.[4] Lo stretto di mare era diventato brevissimo. Sull'altra sponda si vedeva tutto. E tutto era così vicino, che sembrava di potere toccare con le mani ogni cosa. C'erano i monti con i bei boschi di aranci e di ulivi. C'erano le ricche campagne con i con-

---

3 era d'agosto: *it was August*
4 a due passi: *quite near*

54

tadini e con gli animali al lavoro, c'erano le città,
i villaggi e il porto di Messina con tutte le sue
navi. Si vedevano persino le vele delle navi e
i marinai e tante ricchezze dappertutto.

Allora il re mandò un urlo di gioia, balzò da
cavallo e si gettò nell'acqua, sicuro di potere attraversare a piedi lo stretto canale. Ma proprio
in quell'istante l'incanto finì. Il re affogò mise-
ramente nello Stretto di Messina e la fata, che
era la fata Morgana, scomparve nell'aria.

Il fenomeno si ripete ancora oggi nei giorni
calmi e sereni d'estate. Spesse volte durante il
mese di agosto e durante le prime ore dei primi
giorni di settembre si vede specchiata nelle acque
davanti a Reggio Calabria la costa della Sicilia.
Si vedono le case, le piante, i giardini, le navi e
persino gli uomini che lavorano nel porto della
città Siciliana. Ma non è che un miraggio, perchè lo Stretto di Messina è piuttosto largo. È la
fata Morgana che prova la sua magìa.

[*leggenda siciliana*]

EXERCISES

1. Che cosa volevano i barbari?
2. Che cosa facevano, mentre scendevano verso Sud?
3. Chi attraversò tutta la penisola?
4. Che cosa videro i barbari, quando arrivarono sulla spiaggia?
5. Perchè non avevano barche i barbari?
7. Chi si presentó improvvisamente davanti agli occhi del re?
8. Come era quella donna?
9. Come era la voce della donna?
10. Che cosa si vedeva sull'orizzonte?

11. Che cosa c'era sull'altra sponda?
12. Che cosa fece il re, quando vide tante ricchezze?
13. Chi era la donna?
14. Quando si ripete questo fenomeno?
15. Come si chiama questo fenomeno?

LA TRUFFA DI TOMMASO

C'era una volta a Brescia un giovane signore, che si chiamava Tommaso. Questo giovane signore era molto ricco e viveva da solo in un magnifico palazzo. Egli era padrone di molte case in città e in campagna. Tommaso era un giovane molto intelligente, ma aveva il brutto vizio di spendere troppo denaro per i suoi divertimenti. Gli piaceva molto[1] divertirsi con i giovani della sua età e della sua condizione. Dava frequentemente grandi ricevimenti e invitava spesso tutti i suoi amici a divertirsi con lui. In questo modo però la sua ricchezza incominciò presto a diminuire. Ma quando uno è abituato a vivere riccamente, è molto difficile mettersi un bel momento a fare economia. Tommaso si trovò presto in gravi difficoltà finanziarie e dovette incominciare a vendere le sue case una dopo l'altra.

Ma neppure con la vendita delle case Tommaso riuscì ad evitare il completo disastro finanziario. Dovette quindi lasciare la città e andò a vivere poveramente nell'ultima casa di campagna che gli era rimasta.[2] Nella solitudine della campagna incominciò a meditare sulla sua situazione disastrosa. Tommaso non aveva mai fatto

---

1 gli piaceva molto: *he liked very much*
2 che gli era rimasta: *that had remained to him*

nulla e quindi non sapeva fare nulla per guadagnarsi la vita[3] onestamente. Soltanto una truffa
poteva farlo ridiventare ricco; e questo era proprio quello che[4] il giovane desiderava.

Meditò dunque a lungo e finalmente inventò
una truffa. Andò a trovare[5] molti amici di un
tempo e vendette separatamente la sua unica casa
a ciascuno di essi, pregando ciascuno di non dire
nulla a nessuno. Dopo un po' tutti avevano comprato la casa, ma nessuno ne parlava agli amici.
Così per alcuni giorni Tommaso fu di nuovo
ricco. Poi però la truffa fu scoperta e Tommaso
finì in prigione.

Allora Tommaso chiamò un avvocato per chie-
dergli un buon consiglio. L'avvocato gli disse:

"C'è un modo solo per salvarti. Devi fare credere a tutti di essere pazzo.[6] Strappa i tuoi ve-
stiti e non parlare più con nessuno. Al processo,
quando il giudice ti interrogherà, tu risponderai
con un gesto senza senso, così tutti penseranno
che tu sei pazzo davvero e tu sarai liberato."

Tommaso seguì il consiglio dell'avvocato e,
quando fu davanti al giudice, non parlò. Anzi
fece dei gesti così strani, che tutti furono convinti della sua pazzia. Tommaso fu dunque liberato e non fu neppure condannato alle spese del
processo, perchè il giudice lo credeva proprio
malato di mente.

---

3   per guadagnarsi la vita: *to earn his living*
4   quello che: *what*
5   andó a trovare: *he went to visit*
6   devi fare credere a tutti di essere pazzo: *you must
    make everyone believe that you are crazy*

Dopo alcuni giorni, l'avvocato andò alla casa del suo cliente per farsi pagare.[7] Tommaso mise la testa fuori della finestra e, quando l'avvocato dalla strada chiese di essere pagato, ripetè il gesto che aveva fatto in tribunale.

L'avvocato dapprima fu sorpreso. Poi capì la nuova truffa di Tommaso e andò via senza dire nulla. Non poteva denunciare il suo cliente senza denunciare anche se stesso.

[*racconto medioevale*]

---

7 per farsi pagare: *to get paid*

EXERCISES

1. Come era il giovane signore di Brescia?
2. Che vizio aveva?
3. Che cosa gli piaceva?
4. Che cosa dovette incominciare a fare?
5. Dove dovette andare a vivere?
6. Perchè non sapeva fare nulla per guadagnarsi la vita onestamente?
7. Che cosa poteva farlo ridiventare ricco?
8. Perchè Tommaso chiamò un avvocato?
9. Che cosa fece Tommaso davanti al giudice?
10. Perchè non fu condannato?
11. Che cosa fece l'avvocato dopo alcuni giorni?
12. Che cosa fece Tommaso, quando vide l'avvocato?
13. Di che cosa furono convinti tutti?
14. Che cosa fece l'avvocato, quando capì la nuova truffa?
15. Perchè l'avvocato non poteva denunciare il suo cliente?

LA PELLE DELL'ORSO

L'orso bruno è un animale che non soffre mai il freddo. Madre natura lo ha fornito di una bella pelliccia, con cui egli riesce a sfidare i più rigidi inverni.

Quest'animale ha certe caratteristiche, le quali lo distinguono nettamente dagli altri abitanti della foresta. Ha i piedi piatti e mentre cammina, dondola sulle quattro zampe, come se ballasse. Questo fatto lo fa apparire un po' goffo, ma è animale agilissimo, quasi come la scimmia. Si arrampica sugli alberi con la massima sveltezza e, quando corre, è più veloce dell'uomo.

Ci sono dei momenti in cui si direbbe che[1] l'orso ha qualche cosa di umano.[2] Egli si rizza volentieri sulle zampe superiori e si serve di[3] quelle anteriori per portare il cibo alla bocca. Ama giocare, fare acrobazie sui rami degli alberi, spesso mostra buon umore e si lascia addomesticare. Nei circhi equestri spesso gli orsi giocano con i pagliacci. Allo stato libero[4] però l'orso può essere pericoloso e la fame può renderlo feroce. E qui incomincia la nostra storia: c'era una volta un orso...

1   in cui si direbbe che: *when one would say that*
2   ha qualche cosa di umano: *has something human about him*
3   si serve di: *he uses*
4   allo stato libero: *in wild state*

60

Spinto dalla fame quest'orso era uscito dalla grande foresta, in cui viveva, e si era avvicinato alle case degli uomini. Dal suo contatto con la gente del villaggio ne erano nati racconti feroci. C'era persino chi diceva che facendo la lotta con un uomo lo aveva ucciso, schiacciandolo contro un muro.

Gli uomini del paese avevano già organizzato molte battute di caccia, ma non erano mai riusciti a catturarlo. Era un orso forte, agile e astuto. Se ne stava[5] nella foresta e scendeva nel paese soltanto verso sera, cercando di entrare nelle case col favore del buio.[6] La gente viveva in continuo stato d'allarme.

Un giorno il sindaco decise che era ora di passare a mezzi energici e offerse un premio altissimo a chi gli avrebbe portato la pelle dell'orso. Si presentarono tre volontari. Erano tre giovani cacciatori del paese. Essi si conoscevano da lungo tempo.[7] E ciascuno sapeva di poter contare sull'amicizia degli altri due in caso di necessità. Decisero il giorno e l'ora della loro audace impresa e finalmente partirono, armati fino ai denti.[8]

Era una bellissima giornata di primavera. Il caldo della bella stagione cominciava a farsi sentire. Dopo avere camminato per lungo tempo, essendo stanchi e assetati, trovarono una piccola osteria e decisero di fermarsi. L'oste portò loro

---

5   se ne stava: *he stayed*
6   col favore del buio: *under cover of darkness*
7   si conoscevano da lungo tempo: *they had known each other for a long time*
8   armati fino ai denti: *armed to the teeth*

del vino e offerse anche un bell'arrosto. I tre mangiarono e bevettero a sazietà. Il vino li rendeva allegri e audaci.

Quando però venne il momento di saldare il conto, si accorsero che il denaro che avevano in tasca non bastava. Furono dunque costretti a pregare l'oste di fare loro credito,[9] finchè non avessero preso[10] il premio della pelle dell'orso. L'oste in quel momento incominciava ad avere qualche dubbio sul risultato di quella spedizione. Ma ormai l'arrosto era sparito, il vino anche. Sicchè si vide costretto a fare credito ai tre e disse che avrebbe aspettato il loro ritorno.

I nostri tre cacciatori si misero di nuovo in cammino. La foresta era vicina. Cammina, cammina,[11] arrivarono a un punto dove il sentiero si perdeva nella foresta. Ma non trovavano niente. Silenzio assoluto. E dell'orso nemmeno la traccia.

Dopo avere speso molto tempo a cercare, stavano già per smettere la ricerca per quel giorno, quando l'orso, che non si trovava molto lontano, si accorse della loro presenza, uscì dalla tana e venne verso di loro, dondolando come è sua abitudine.

La sorpresa dei tre giovani fu tale, che si misero a tremare come foglie. Uno riuscì a scappare. Si trovò sul sentiero, che portava in città, e si mi-

---

9 fare loro credito: *give them credit*
10 finchè non avessero preso: *until they had won*
11 cammina, cammina: *they walked and they walked*

se a correre a gambe levate[12] e non si fermò più, finchè non vide[13] le prime case del paese.

L'orso intanto avanzava ancora verso i due rimasti. Venne vicino al più giovane, lo annusò, poi con una zampa lo gettò per terra. L'altro intanto, approfittando del fatto che l'orso si trovava occupato col suo compagno, senza affatto pensare a venirgli in aiuto, saltò su una roccia e poi su un albero. Dall'alto trovò tempo di prepararsi alla difesa, nel caso che l'orso si fosse rivolto contro di lui.

Il più giovane, gettato a terra, si sentì del tutto inferiore di fronte alla forza bruta dell'orso e pensò di usare un'astuzia: si finse morto. Com'è, come non è,[14] l'astuzia riuscì. L'orso continuò a girargli un po' attorno, lo leccò in faccia, sull'orecchia, sul collo, poi alzò il muso e quindi con aria annoiata se ne andò.

Dopo un po' i due compagni si mossero. Quello che si trovava sull'albero, venne giù. Si avvicinò a quello che si era finto morto e gli disse:

"Dunque l'orso non ti ha fatto del male! Che fortuna!"

"L'orso mi ha parlato", disse l'altro.

"Ti ha parlato? E che cosa ti ha detto?"

"Mi ha detto due cose — replicò l'amico — mi ha detto di non fidarmi mai di amici come te in un momento di pericolo e mi ha detto anche di

---

12 si mise a correre a gambe levate: *began to run at top speed*
13 finchè non vide: *until he saw*
14 com'è, come non è: *somehow or other*

non vendere la pelle dell'orso prima di avergliela presa."[15]

[*dal Commento al Malmantile" di Paolo Minucci*]

---

15   prima di avergliela presa: *before taking it from him*

EXERCISES

1. Perchè l'orso bruno non soffre mai il freddo?
2. Come cammina l'orso?
3. Perchè si direbbe che l'orso ha qualche cosa di umano?
4. Che cosa ama fare l'orso?
5. Che cosa decise un giorno il sindaco del paese?
6. Che cosa fecero i tre giovani dopo aver camminato per lungo tempo?
7. Che cosa fece l'oste?
8. Che cosa accadde quando venne il momento di saldare il conto?
9. Quando i tre giovani stavano già per smettere la ricerca, che cosa accadde?
10. Che cosa fece il giovane che riuscì a scappare?
11. Che cosa fece l'orso?
12. Che cosa fece l'orso al più giovane?
13. Che cosa fece l'altro giovane?
14. Come si sentì il più giovane?
15. Che astuzia pensò di usare?

L'EREMITA PITTORE

Nell'Italia del Nord, proprio ai piedi delle Alpi, ci sono alcuni laghi. Essi sono molto famosi per la bellezza della natura che li circonda. Uno di questi laghi si chiama Maggiore. Sulle rive del Lago Maggiore, in una bella collina, c'è una grotta. E nella grotta c'è una cappella. Su una delle pareti interne della cappella si vede una pittura, che rappresenta San Pietro. La figura di San Pietro è presentata in dimensioni molto grandi, ma non è finita: è incompiuta.

La leggenda racconta che in quella grotta viveva una volta un santo eremita. In quel tempo la gente di quella regione era ancòra pagana. L'eremita, che non venerava gli dei pagani, fu dapprima creduto un pazzo e dopo un po' tutti cominciarono a odiarlo. Quando non pioveva abbastanza, i contadini dicevano che l'eremita ne aveva tutta la colpa.[1] Quando pioveva troppo, i contadini insistevano che l'eremita ne aveva tutta la colpa. Insomma un brutto giorno decisero di ucciderlo. Arrivarono con bastoni e con falci all'ingresso della grotta. Però, invece di entrare, si fermarono all'ingresso e furono un po' sorpresi, perchè videro l'eremita, che dipingeva. Egli dipingeva la robusta figura di San Pietro, ma non aveva ancòra finito la pittura.

---

1 ne aveva tutta la colpa: *was entirely to blame for it*

L'eremita sentì i contadini, che gridavano all'ingresso della sua grotta, mise il pennello a terra[2] andò incontro agli uomini[3] e disse senza sospetto:

"Che cosa c'è? Posso aiutarvi in qualche modo?"

I contadini avevano già deciso di ucciderlo e non volevano ascoltarlo. Ma in quel momento uno gridò:

"La pittura si muove!"

A quelle parole anche l'eremita girò la testa a guardare. Era proprio vero. San Pietro era diventato una persona viva e si muoveva. Tutti videro con i loro occhi il grande santo mettersi a staccare pietre dalla parete della grotta e a gettarle contro i contadini. Un po' per la paura del prodigio, un po' per il male causato dalle pietre, i contadini non poterono resistere e dopo pochi istanti si misero a fuggire.

L'eremita non sapeva nè che cosa dire, nè che cosa fare. Diede dapprima un'occhiata giù nella valle, dove i contadini continuavano a fuggire. Poi fece l'atto di avvicinarsi al suo santo salvatore con l'intenzione di ringraziarlo. Ma San Pietro era ritornato al suo posto nella pittura. Era muto. Era immobile. Era dipinto. Anzi era mezzo dipinto, perchè la pittura non era ancòra finita.

Allora l'eremita per ricordare il miracolo non

---

2 a terra: *on the floor*
3 andò incontro agli uomini: *went towards the men*

volle aggiungere nulla alla pittura miracolosa. Ed essa è rimasta così incompiuta fino a oggi.

Quell'eremita diventò molto famoso in tutta la regione. Fece molte conversioni fra i pagani e anche oggi è molto venerato in quella regione e in tutte le regioni vicine sotto il nome di San Giulio.

[*leggenda lombarda*]

EXERCISES

1. Che cosa si vede su una delle pareti della cappella?
2. Chi viveva una volta in quella grotta?
3. Che cosa decisero i contadini un giorno?
4. Perchè furono sorpresi i contadini quando arrivarono all'entrata della grotta?
5. Che cosa fece l'eremita quando sentì i contadini?
6. Perchè non volevano ascoltarlo?
7. Che vide l'eremita quando girò la testa a guardare la pittura?
8. Che cosa si mise a fare il grande santo?
9. Che cosa fece l'eremita, quando i contadini si misero a fuggire?
10. Con quale intenzione l'eremita fece l'atto di avvicinarsi al santo?
11. Perchè non riuscì a ringraziarlo?
12. Perchè l'eremita non volle aggiungere nulla alla pittura?
13. Dove diventò famoso l'eremita?
14. Che cosa fece nella regione?
15. Sotto che nome è venerato anche oggi?

GAGLIAUDO E LA MUCCA

A metà strada[1] fra Torino e Genova c'è una città chiamata Alessandria. Per non confonderla con l'altra città di Alessandria, quella che si trova in Egitto, la gente chiama "Alessandria della paglia" quella italiana. Dicono "della paglia", perchè nei tempi lontani del medioevo i tetti delle case di quella città erano di paglia. Nei tempi andati[2] Alessandria della paglia fu città di grande importanza specialmente durante le lunghe lotte fra il Papa e l'imperatore.

Una volta l'imperatore Federico Barbarossa, mentre stava facendo la guerra[3] in Italia, voleva impadronirsi della città di Alessandria. Ma gli alessandrini erano riusciti a resistere[4] e l'imperatore non era riuscito a entrare nella città. Barbarossa dunque mise l'assedio ad Alessandria e rimase per molto tempo ad aspettare che gli abitanti o si arrendessero o morissero di fame." E certo quei poveretti sarebbero morti di fame,[6]

1 a metà strada: *half way*
2 nei tempi andati: *in bygone times*
3 mentre stava facendo la guerra: *while he was waging war*
4 erano riusciti a resistere: *had succeeded in resisting*
5 ad aspettare che gli abitanti o si arrendessero o morissero di fame: *waiting until the inhabitants would either surrender or starve to death*
6 sarebbero morti di fame: *would have starved to death*

68

se un bel giorno un povero contadino non si fosse presentato[7] ai comandanti militari della città con una bella proposta.

Qui bisogna dire che da principio[8] i capi militari non avevano nemmeno voluto riceverlo, perchè certo non si aspettavano nulla di interessante da un povero contadino affamato come loro. Ma il contadino, che si chiamava Gagliaudo, insistè e alla fine fu ammesso in udienza. Allora il buon Gagliaudo, parlando rozzamente come fa la gente di campagna, incominciò a esporre il suo progetto. Un progetto, diceva lui, che avrebbe fatto perdere a Barbarossa[9] tutte le speranze di prendere la città.

"Ah, sei un povero illuso — gli disse il generale, che lo ascoltava — che cosa ne capisci tu di guerra?[10] Tu non sai, tu non puoi renderti conto di[11] questi problemi."

Un altro degli ufficiali presenti gli disse:

"Va . . . ritorna alla tua stalla. Pensa alla tua povera mucca, che ormai è più magra di te!"

"Ma è appunto della mia mucca che io vi voglio parlare . . ."

Allora, più per compassione che per interesse, gli ufficiali dello stato maggiore di Alessandria decisero di ascoltare il contadino.

---

7 non si fosse presentato: *had not gone*
8 da principio: *at the beginning*
9 avrebbe fatto perdere a Barbarossa: *would make Barbarossa lose*
10 che cosa ne capisci tu di guerra: *what do you understand of war*
11 tu non puoi renderti conto di: *you cannot realize*

"Ingrassiamo la mia mucca con tutto quello che rimane[12] in città. Poi, quando sarà bella grassa,[13] la manderemo nel campo nemico ..."

"E così i soldati di Barbarossa avranno un bell'arrosto ..." interruppe un ufficiale ridendo.

"No, un momento — disse il generale — forse questo contadino ha più cervello di noi."

Il generale aveva capito le intenzioni del contadino. Diede subito ordine di raccogliere tutto quello che rimaneva in città per ingrassare una mucca. La mucca di Gagliaudo in una ventina di giorni ridiventò bella e florida come non lo era mai stata prima."[14] E una bella mattina Gagliaudo portò la sua mucca grassa fuori porta[15] e lasciò che i soldati di Barbarossa venissero a prenderla.

La voce della scoperta di quella mucca, così straordinariamente grassa, che veniva fuori da una città che soffriva un assedio da molti mesi, arrivò a Barbarossa. L'imperatore meditò per un momento su quel fatto strano, poi disse:

"Se gli alessandrini hanno mucche di queste dimensioni, non riuscirò mai a prenderli per fame."

E così tolse l'assedio alla città e Alessandria fu salva.

[leggenda piemontese]

---

12 con tutto quello che rimane: *with all that remains*
13 bella grassa: *quite fat*
14 come non lo era mai stata prima: *as she had never been before*
15 fuori porta: *outside the gates*

EXERCISES

1. Perchè Alessandria si chiama "della paglia"?
2. In che paese si trova un'altra città chiamata Alessandria?
3. Di che cosa voleva impadronirsi Barbarossa?
4. Che cosa aspettava Barbarossa?
5. Che cosa fece un giorno un povero contadino?
7. Come parlava Gagliaudo?
8. Che cosa avrebbe fatto il progetto di Gagliaudo?
9. Che cosa voleva fare Gagliaudo?
10. Chi aveva capito le intenzioni di Gagliaudo?
11. Il generale diede l'ordine di fare che cosa?
12. Come ridiventò la mucca di Gagliaudo?
13. Che cosa fece Gagliaudo, quando la mucca fu grassa?
14. Che voce arrivò fino a Barbarossa?
15. Che fece Barbarossa, quando seppe della mucca?

LA CAMPANA SOMMERSA

Nel tratto di mare che si trova davanti a Sorrento, a breve distanza dalla spiaggia, c'è uno scoglio, che la gente chiama "Punta della Campanella". La gente che vive lungo quella spiaggia e specialmente le famiglie dei marinai usano celebrare con molta devozione il giorno dedicato a Sant'Antonino. Poi, quando viene la sera, tutti vanno sulla spiaggia davanti allo scoglio e stanno in silenzio.

Perchè? Cosa fanno?

Ascoltano. Dicono che dal mare venga su un leggero suono di campana.

Una campana che suona sott'acqua?

Precisamente. E a questo proposito[1] raccontano questa leggenda.

Molto tempo fa[2] il Mare Mediterraneo era pieno di pirati. Una volta questi pirati, che venivano dalle coste orientali, arrivarono con un certo numero di navi davanti a Sorrento. Videro subito che Sorrento era un bel posto, adatto per le loro operazioni, e si prepararono a sbarcare.

La famiglia dei Correale, molto amata e rispettata da tutti, aveva sempre l'incarico di proteggere e difendere la città da tutti i nemici. La città di Sorrento aveva quattro porte. Pur-

---

1 a questo proposito: *in this connection*
2 molto tempo fa: *a long time ago*

troppo però quella volta una delle quattro porte era custodita da un servo infedele della famiglia Correale.

Per quella porta i pirati riuscirono a entrare di notte nella città e incominciarono a distruggere e a uccidere. In poco tempo diventarono padroni di tutto e di tutti.

Quei pirati però non avevano l'abitudine di rimanere a lungo in un luogo conquistato. Preferivano mettere tutto quello che potevano[3] sulle loro navi e allontanarsi al più presto possibile.[4] Così fecero anche quella volta.

Prepararono le loro navi per la partenza e incominciarono a metterci dentro[5] tutto quello che potevano. E, non contenti di avere conquistato[6] tante ricchezze con la distruzione della bella città di Sorrento, vollero portare via persino le campane delle chiese.

Fra queste campane c'era anche quella della chiesa di Sant'Antonino: era la più bella campana di Sorrento. I pirati la misero sulla loro nave ammiraglia e incominciarono a spiegare le vele per la partenza.

Le navi si mossero e andarono un po' avanti nel mare. Ma quando la nave ammiraglia arrivò all'altezza della Punta, che adesso si chiama "della Campanella," le accadde una cosa strana: non potè più andare avanti.

Allora tutti i pirati con le altre navi andarono

---

3   tutto quello che potevano: *all that they could*
4   al più presto possibile: *as soon as possible*
5   metterci dentro: *put into it*
6   di avere conquistato: *at having conquered*

attorno alla nave ammiraglia e fecero tutte le manovre possibili per farla andare avanti. Ma la nave sembrava attaccata al fondo del mare vicino allo scoglio.

Allora il capo dei pirati diede ordine di gettare in mare una parte del carico della nave ammiraglia. A poco a poco[7] la nave diventò più leggera; ma non si mosse. Alle fine il capo dei pirati diede ordine di gettare in mare anche la bella campana della chiesa di Sant'Antonino. Appena la campana toccò l'acqua, la nave partì e si allontanò rapidamente dallo scoglio.

Da quella volta[8] tutti gli anni, per la festa di Sant'Antonino, innumerevoli persone vanno a Sorrento e verso sera corrono sulla spiaggia davanti allo scoglio e aspettano in silenzio il suono della campana sommersa.

[*leggenda napoletana*]

---

7   a poco a poco: *little by little*
8   da quella volta: *from that time*

EXERCISES

1.   Dove si trova lo scoglio che si chiama "Punta della Campanella"?
2.   Che cosa fanno tutti la sera della festa di Sant'Antonino?
3.   Che cosa dicono che venga su dal mare?
4.   Perchè i pirati si prepararono a sbarcare a Sorrento?
5.   Che incarico aveva la famiglia dei Correale?
6.   Quante porte aveva la città di Sorrento?
7.   Perchè i pirati riuscirono a entrare per una delle quattro porte?

8. Che cosa facevano i pirati dopo aver conquistato un luogo?
9. Che cosa misero sulla nave ammiraglia?
10. Che cosa strana accadde alla nave ammiraglia, quando arrivò all'altezza della Punta?
11. Che cosa fecero tutti i pirati?
12. Riuscirono a fare andare avanti la nave ammiraglia con le loro manovre?
13. Che ordine diede il capo dei pirati?
14. Che cosa accadde, appena la campana toccò l'acqua?
15. Che cosa fanno tutti gli anni le innumerevoli persone che vanno a Sorrento per la festa di Sant'Antonino?

I TRE BANDITI E LA MORTE

Una volta un vecchio eremita attraversava tutto
solo una foresta. Camminava lentamente e con
gli occhi bassi,[1] perchè aveva già fatto un viaggio
molto lungo ed era molto stanco. Improvvisamente vide qualche cosa che brillava proprio vicino al sentiero dove egli passava. Si fermò e
vide davanti all'ingresso di una grotta un bel
mucchio di monete d'oro. Allora il vecchio fece
quello che fanno sempre gli eremiti[2] quando vedono i beni di questa terra: si mise a scappare.
E, mentre scappava, diceva tra sè:[3]

"Ho visto la morte! Ho visto la morte!" E
voleva dire[4] che aveva visto una cosa terribile,
che causa la morte: la morte dell'anima.

Correva da pochi minuti,[5] quando incontrò tre
banditi. I banditi furono molto sorpresi, perchè
vedevano il vecchio che scappava, ma nessuno
che lo inseguisse. Così lo fermarono e gli doman-
darono:

"Perchè scappi? Di che cosa hai paura?"

---

1 con gli occhi bassi: *with downcast eyes*
2 quello che fanno sempre gli eremiti: *what hermits
   always do*
3 diceva tra sè: *he said to himself*
4 voleva dire: *he meant*
5 correva da pochi minuti: *he had been running for
   a few minutes*

76

"Della morte — rispose il vecchio — ho visto la morte!"

I tre banditi diventarono ancòra più[6] curiosi e gli dissero:

"Bene! Anche noi vogliamo vedere la morte! Portaci al luogo, dove hai visto la morte."

"È qui a due passi:[7] venite con me" — rispose l'eremita e li portò a vedere il mucchio di monete d'oro.

I tre banditi allora dissero al vecchio:

"Va bene. Adesso noi vogliamo rimanere qui con la morte. Tu puoi andare."

L'eremita partì. I tre allora decisero di dividere il mucchio di monete in tre parti uguali. Ma avevano anche fame.

Allora il più giovane disse:

"Se andiamo tutti e tre alla taverna del villaggio, la gente vedrà che abbiamo denaro e ci scoprirà. Aspettate qui. Andrò io da solo a comprare da mangiare per tutti e poi tornerò qui e mangeremo insieme."

Gli altri due trovarono molto saggia quella proposta e accettarono. Il primo dunque partì. Quando però arrivò al villaggio, cambiò idea. Egli disse tra sè:

"Ho trovato il modo di prendere tutto il mucchio di monete d'oro per me! Finalmente sarò molto ricco. Adesso vado alla taverna. Mangio. Poi compro un po' da mangiare per i miei due amici. Quindi metto del veleno molto forte nel

---

6 ancòra più: *still more*
7 è qui a due passi: *it is quite near here*

loro cibo, così essi muoiono e io prendo tutte le monete."

E così fece. Andò a mangiare alla taverna. Dopo avere mangiato,[8] comprò cibo e veleno, li mescolò bene e quindi ritornò alla foresta, al posto dove gli altri due banditi lo aspettavano. In quel frattempo[9] però gli altri due avevano anch'essi pensato un trucco simile. Infatti, quando il più giovane arrivò con il cibo, non lo lasciarono nemmeno parlare: lo ammazzarono subito. Gli presero[10] tutte le monete d'oro che ancòra aveva in tasca e poi si misero a mangiare il cibo che egli aveva comprato per loro. Il veleno che era mescolato nel cibo era molto forte, sicchè morirono anch'essi in pochi minuti.

Dunque l'eremita aveva ragione a dire che quel mucchio di monete d'oro era la morte.

[*da un racconto medioevale*]

---

8   dopo avere mangiato: *after having eaten*
9   in quel frattempo: *in the meantime*
10 gli presero: *they took from him*

EXERCISES

1. Perchè camminava con gli occhi bassi l'eremita?
2. Che cosa vide improvvisamente?
3. Che cosa fece il vecchio?
4. Chi incontrò dopo pochi minuti?
5. Perchè furono sorpresi i banditi?
6. Di che cosa aveva paura il vecchio?
7. Dove portò il vecchio i tre banditi?
8. Che cosa decisero i tre banditi?
9. Come trovarono gli altri due la proposta del bandito più giovane?
10. Dove andó il bandito più giovane?

11. Dopo aver mangiato, che cosa fece?
12. Che cosa avevano fatto gli altri due nel frattempo?
13. Quando il più giovane arrivò con il cibo, che cosa fecero gli altri due?
14. Che cosa gli presero?
15. Che cosa era la morte secondo l'eremita?

LA BERTUCCIA E LO SPECCHIO

La bertuccia è un piccolo animale, che si trova[1] in quasi tutti i giardini zoologici. Come molti animali dei giardini zoologici la bertuccia viene dalle foreste dei paesi tropicali. E come tutti gli animali che vengono da regioni lontane è sempre una curiosità. La bertuccia è una curiosità soprattutto perchè è uno degli animali più simili all'uomo. Cammina sulle due zampe posteriori[2] come l'uomo sulle gambe. Mangia con l'aiuto delle due zampe anteriori[3] come l'uomo con le braccia e le mani. E dalla sua gabbia sembra guardare gli uomini con intelligenza.

La bertuccia non si trova soltanto nei giardini zoologici. Si trova anche nelle case private. Vive nelle case private come un animale domestico, come un cane o un gatto. Si adatta facilmente a vivere con gli uomini. Si adatta anche facilmente a vivere con gli animali domestici.

La bertuccia di questa storia viveva in una casa privata. Le piaceva[4] la vita in famiglia. E le piaceva molto stare con i bambini. Come anche le piaceva molto di passare il tempo insieme

---

1 che si trova: *that is found*
2 sulle due zampe posteriori: *on her two hindlegs*
3 delle due zampe anteriori: *of her two forelegs*
4 le piaceva: *she liked*

80

con il gatto e con il cane. Però la bertuccia ero molto superba. Credeva di essere[5] un animale superiore a tutti gli altri animali. E credeva di essere anche superiore all'uomo.

Vivendo a lungo nelle case degli uomini, aveva imparato a imitare i gesti umani. Questo era il vero motivo della superbia della bertuccia. Per esempio quando vedeva che i bambini della casa si mettevano e si toglievano il cappello,[6] anche lei si metteva e si toglieva il suo piccolo cappello. Quando vedeva che il padre della famiglia si metteva gli occhiali per leggere, anche lei si metteva gli occhiali e faceva il muso serio. Quando vedeva che i bambini della casa si legavano il tovagliolo attorno al collo,[7] anche lei si legava il tovagliolo attorno al collo. Quando la famiglia si metteva a tavola[8] per il pranzo, anche lei si metteva alla sua piccola tavola, e mangiava come fa la gente ben educata.[9] Per mangiare usava coltello, forchetta e cucchiaio.

La bertuccia sapeva anche fare meravigliose acrobazie. Aveva imparato a fare quelle meravigliose acrobazie nella foresta del suo paese e le piaceva mostrare a tutti la sua abilità. Le piaceva vedere la gente piena di ammirazione

---

5   credeva di essere: *she thought that she was*
6   si mettevano e si toglievano il cappello: *put on and took off their hats*
7   si legavano il tovagliolo attorno al collo: *fastened their napkins around their necks*
8   si metteva a tavola: *sat down at table*
9   ben educata: *well brought up*

per lei. E così credeva di essere una creatura superiore all'uomo.

Un giorno però, un brutto giorno, la bertuccia trovò uno specchio. Dapprima non capì bene, ma le piacque,[10] perchè brillava. Così incominciò a giocare con lo specchio, finchè vide dentro il proprio muso. La faccia degli animali si chiama muso. Era la prima volta che la bertuccia vedeva il proprio muso. Dapprima ne fu sorpresa. Poi si arrabbiò. Che brutto muso! Siccome era sempre vissuta[11] fra uomini, e non fra bertucce, la povera bertuccia aveva sempre creduto di avere una faccia più o meno come quella degli uomini. Ma ora lo specchio diceva la verità. La bertuccia dunque vide che era brutta. Si arrabbiò e con un bastone ruppe lo specchio. Lo specchio andò in mille piccoli pezzi.

A questo punto però la bertuccia capì che quel gesto di rabbia aveva soltanto moliplicato la faccia brutta in ogni pezzo di specchio. Mille bertucce riflesse guardavano la bertuccia vera e tutte imitavano i suoi gesti.

Presa dalla disperazione, [12] la bertuccia tentò di mettersi una mano sul muso ed ecco che dagli innumerevoli specchi innumerevoli bertucce fecero lo stesso.[13] Tutte manifestavano la disperazione della bertuccia vera. Allora l'animale fu preso da tale spavento, che fuggì dalla stanza.

---

10 le piacque: *she liked it*
11 siccome era sempre vissuta: *since she had always lived*
12 presa dalla disperazione: *seized with despair*
13 fecero lo stesso: *did the same thing*

E si dice che[14] da allora le bertucce siano un po' sospettose, quando vedono uno specchio.

[*da una favola di Gaspare Gozzi*]

---

14 si dice che: *it is said that*

EXERCISES

1. Dove si trova generalmente la bertuccia?
2. Da dove viene la bertuccia?
3. Perchè è una curiosità?
4. Con chi si adatta facilmente a vivere?
5. Che cosa credeva di essere la bertuccia di questa storia?
6. Che cosa aveva imparato a fare?
7. Quando i bambini della casa si mettevano e si toglievano il cappello, che cosa faceva la bertuccia?
8. Quando il padre della famiglia si metteva gli occhiali, che cosa faceva la bertuccia?
9. Per mangiare che cosa usava?
10. Dove aveva imparato a fare meravigliose acrobazie?
11. Che cosa trovò un giorno?
12. Perchè le piacque lo specchio?
13. Perchè credeva di avere una faccia più o meno come la faccia degli uomini?
14. Quando vide che era brutta, che cosa fece?
15. Perchè fuggì dalla stanza?

LA NOVELLA DEL FALCONE

Viveva una volta a Firenze un giovane nobile e ricco, che si chiamava Federigo degli Alberighi. Federigo era un ottimo giovane, molto abile nell'uso delle armi e insieme d'animo molto gentile.

Un giorno Federigo andò a un ricevimento, dove erano radunate persone della sua età e della sua condizione. Durante il ricevimento incontrò una donna bellissima, Giovanna, e se ne innamorò[1] perdutamente. Da quel giorno Federigo pensò soltanto a Giovanna e al modo di potere conquistare la sua attenzione.

Per attirare l'attenzione della bella donna Federigo cominciò dunque a dare ricevimenti e a organizzare giostre. Ma Giovanna, che era sposata, non volle mai restituire le cortesie dell'innamorato. Federigo tuttavia continuò a farle la corte,[2] finchè spese tutto il denaro che aveva. Diventò così povero, che non potè più vivere nella città di Firenze e dovette andare ad abitare in una piccola casa che aveva in campagna.

Si mise così a vivere molto poveramente, accontentandosi di mangiare la selvaggina che riusciva a prendere con l'aiuto di un falcone.

---

1 se ne innamorò: *he fell in love with her*
2 farle la corte: *to court her*

Un giorno il marito di Giovanna morì e la bella donna rimase vedova. Giovanna pensò quindi di dedicare tutta la sua vita e tutto il suo affetto all'educazione del suo unico figlio. La madre e il figlio presero l'abitudine di andare a passare l'estate in un podere che avevano in campagna. Per caso questo podere era situato proprio vicino alla casetta di Federigo. Il figlio di Giovanna fece così la conoscenza di Federigo e incominciò ad andare a caccia con lui. Al ragazzo piaceva molto[3] il falcone con cui Federigo andava a caccia. E voleva chiederglielo[4] in regalo, ma non osava.

Un brutto giorno il ragazzo si ammalò gravemente. Una madre è sempre disposta a fare qualsiasi cosa per confortare il figlio. Così Giovanna gli chiese:

"Desideri qualche cosa?"

E il giovane rispose:

"C'è una cosa sola che può farmi piacere: il falcone di Federigo."

Giovanna rimase un po' a pensare e poi decise di andare personalmente da Federigo a chiedere in regalo il falcone per il figlio malato. Molti anni erano ormai passati dal giorno in cui[5] lei aveva rifiutato così severamente l'amore di Federigo.

Federigo dapprima fu molto sorpreso nel ve-

---

3 al ragazzo piaceva molto: *the boy liked very much*
4 chiederglielo: *to ask him for it*
5 erano ormai passati dal giorno in cui: *had by now passed since the day when*

dere Giovanna, poi pensò che quello era davvero il momento buono per mostrare alla donna che l'antica fiamma del suo amore non era ancora morta. La pregò di rimanere a pranzo con lui. Giovanna accettò, sperando di trovare durante il pranzo un momento opportuno per fare la sua richiesta.

Il pranzo fu molto povero. Non c'era sulla tavola che un uccello dalla carne molto dura.[6] Alla fine del pranzo Giovanna volle spiegare a Federigo il vero motivo della sua visita. Quando però arrivò a chiedere il falcone per il figlio malato, Federigo impallidì e rispose:

"Giovanna, io ti ho sempre amata e ti amo anche adesso. Per invitarti a pranzo ho dovuto uccidere il mio falcone. Tu lo hai mangiato or ora, qui, con me."

Il figlio di Giovanna morì poche settimane dopo. Solo allora la madre, che con la morte del figlio era rimasta completamente sola, accettò finalmente il tenace amore di Federigo e lo sposò.

[da una novella del Boccaccio]

---

6 dalla carne molto dura: *with very tough meat*

EXERCISES

1. Dove incontrò Federigo la bella donna?
2. Che cosa fece Federigo per attirare l'attenzione di Giovanna?
3. Come ricevette Giovanna le attenzioni di Federigo?
4. Perchè Federigo diventò povero?
5. Dove andò ad abitare?
6. Viveva bene in campagna?
7. A chi dedicò Giovanna tutto il suo affetto?

8. Dove andavano la madre e il figlio a passare l'estate?
9. Che cosa piaceva molto al ragazzo?
10. Perchè il figlio non chiese il falcone a Federigo?
11. Quale era la sola cosa che voleva il figlio malato?
12. Federigo amava sempre Giovanna?
13. Perchè accettó Giovanna l'invito di Federigo?
14. Che cosa chiese Giovanna a Federigo?
13. Perchè Federigo non diede il falcone a Giovanna?

VOCABOLARIO

A

abbastanza	enough, fairly
abbastanza...da	enough...to
abbia	has, may have, should have
abbiamo	(we) have
abile	skilful
abilità *f.*	skill
abitante *m.*	inhabitant
abitare	to inhabit, live
abituato	accustomed
abitudine *f.*	custom, habit
accadde	(it) happened, occurred
accadere	to happen, occur
acceso	lighted
accettare	to accept
accoglienza *f.*	reception, welcome
accontentarsi	to be satisfied
d'accordo	in agreement, agreed
accorgersi	to notice, become aware
si accorse	noticed, became aware
si accorsero	noticed, became aware
accusare	to accuse
acqua *f.*	water
acrobazia *f.*	acrobatic trick
adattarsi	to adapt oneself, become adapted
adatto	suitable
addomesticare	to tame
addosso	on (one's) back
adesso	now
adorare	to worship
affamato	hungry
affannato	eager
affatto	at all
afferrare	to seize
affetto *m.*	affection
affogare	to drown
affresco *m.*	fresco, wall painting
affrontare	to confront
aggiungere	to add
aggiunse	added

agile	agile
agilissimo	very agile
agnello *m.*	lamb
agosto *m.*	August
aiutare	to help
aiuto *m.*	help
al	to the, at the
al (*inf.*)	upon (-ing)
albergo *m.*	inn, hotel
albero *m.*	tree
alcuno	some
alessandrini *m. pl.*	people of Alessandria
allarme *m.*	alarm
allegria *f.*	joy, happiness, merriment
allontanarsi	to go away
allora	then
allungare	to lengthen, stretch
almeno	at least
Alpi *f. pl.*	Alps
altezza *f.*	height
altissimo	very high
alto	high
alto *m.*	height
d'all'altra parte	on the other side
altro	other
alzarsi	to get up, rise
si alzò	got up, rose
amare	to love
amaro	bitter
amato	loved, beloved
amavano	loved
amicizia *f.*	friendship
amico *m.*	friend
ammalarsi	to become sick
ammazzare	to kill
ammesso	admitted
ammettere	to admit
amministratore *m.*	administrator
ammiraglio *m.*	admiral
ammirazione *f.*	admiration
amore *m.*	love
anche	also, too, even
ancòra	still, yet, even
andare	to go
andare in giro	to go around
andare via	to go away, leave
andarsene	to go away, leave
andato	gone, having gone, bygone

90

andiamo (a)	let us go (and)
andrò	I will go
angolo *m.*	corner
anima *f.*	soul
animale *m.*	animal
animo *m.*	character
annesso a	attached to
anno *m.*	year
annoiato	bored
annusare	to sniff
anteriore	fore
antichità *f.*	antiquity
antico	ancient
anzi,	rather, on the contrary
anziano	old
aperse	(he) opened
apparenza *f.*	appearance
appartamento *m.*	apartment
apparire	to appear
apparvero	(they) appeared
appena	scarcely, as soon as
appetitoso	appetizing
appoggiare	to lean
apprendista *m.*	apprentice
approvazione *f.*	approval
appunto	just, exactly
aprire	to open
arancio *m.*	orange-tree
argento *m.*	silver
argomento *m.*	subject
aria *f.*	air
arma *f.*	weapon
le armi	weapons, arms
armare	to arm
armonioso	musical, harmonious
arnese *m.*	instrument
arrabbiarsi	to become angry
arrampicarsi	to climb
arrendersi	to surrender
si arrendessero	surrendered
arrivare	to arrive
arrivò	arrives
arrosto *m.*	roast
ascoltare	to listen to
aspettare	to wait (for)
aspettarsi	to expect
assedio *m.*	siege
mettere l'assedio	to lay siege

assetato	thirsty
assiduità *f.*	assiduity
astuto	cunning
astuzia *f.*	trick, cunning
attaccare	to attack, attach
attaccato	attacked, attached
atteggiamento *m.*	attitude
attentamente	carefully
attenzione *f.*	attention
attirare	to attract
atto *m.*	act
attorno a	around
attraente	attractive
attraversare	to cross
attraverso	through
audace	bold
autunno *m.*	Autumn
avanti	forward, ahead, come in, go ahead
avanzare	to advance
avere	to have
avere a	to have to
avere cura di	to take the trouble to
avere fame	to be hungry
avere modo di	to have a chance to
avere paura	to be afraid
avere ragione	to be right
avere sonno	to be sleepy
avesse	had, would have
aveva	had
avrebbe	would have
avvenire *m.*	future
avvenire	to happen
avvenne	happened
avventuriero *m.*	adventurer
avvicinarsi	to approach, draw near
avvisare	to inform
avvocato *m.*	lawyer
azione *f.*	action
azzurro	blue

B

badare a	to care for, pay attention to
ballare	to dance
balzare	to leap
bambina *f.*	child, girl
bambino *m.*	child, boy

92

banchetto *m.*	banquet
banco *m.*	bench, counter
bandito *m.*	bandit
barattolo *m.*	pot
barbaro	barbarian, barbarous
barca *f.*	boat
barcaiuolo *m.*	boatman
barchetta *f.*	little boat
basso	low
bastare	to be enough
bastava	was enough
bastone *m.*	stick
battere	to beat, throw down
battuta di caccia *f.*	hunt, battue
becco *m.*	beak, spout
bei	beautiful, fine
bel, bello, bella	beautiful, fine
un bel momento	suddenly
bellezza *f.*	beauty
bellissimo	very beautiful
ben, bene	well, very
va bene	all right
voler bene a	to be fond of, to like
benevolmente	affectionately
beni *m. pl.*	good things, goods
benissimo	very well
bere	to drink
bertuccia *f.*	small monkey
bevettero	they drank
bianco	white
bicchiere *m.*	glass
bisogna	it is necessary
bisognare	to be necessary
bisogno *m.*	need, necessity
bocca *f.*	mouth
bollire	to boil
bollito	boiled
borioso	proud, haughty
bosco *f.*	woods, grove
i boschi	woods
bottega *f.*	shop, store, artist's workshop
bottiglia *f.*	bottle
braccio *m.*	arm
le braccia	arms
bravo	good, worthy
breve	short, brief
brevissimo	very short, very brief
brillare	to shine

brocca *f.*	jug
brontolare	to grumble
bruno	brown
bruto	brute
brutto	ugly, wicked
bue *m.*	ox
i buoi	oxen
buffo	funny
buio *m.*	darkness
buon, buona, buono	good
buon umore	good humor, good nature
burla *f.*	trick, joke
burlone *m.*	prankster, joker

C

c'era	there was
caccia *f.*	hunt, hunting
andare a caccia	to go hunting
dare la caccia a	to hunt down
cacciare via	to drive out
cacciatore *m.*	hunter, huntsman
Calabria *f.*	Calabria
caldo *m.*	warmth, heat
calduccio *m.*	nice warmth
calmo	calm
cambiare	to change, exchange
cambio *m,*	exchange
camera *f.*	room
camera da letto *f.*	bedroom
camminare	to walk
cammino *m.*	way, road
campagna *f.*	countryside, land
campana *f.*	bell
campanella *f.*	bell
campo *m.*	field, camp
canale *m.*	canal, channel
candela *f.*	candle
cane *m.*	dog
canna *f.*	cane
capì	understood
capire	to understand
capisci	you understand
capo *m.*	head, chief, leader
cappella *f.*	chapel
cappello *m.*	hat
cappuccio *m.*	cap, hood
caratteristica *f.*	characteristic

94

carico *m.*	load, cargo
carne *f.*	meat, flesh
carrozza *f.*	carriage
casa *f.*	house, home
casetta *f.*	little house, cottage
caso *m.*	chance
per caso	by chance
cattivo	bad
catturare	to capture
causare	to cause
cavallo *m.*	horse
andare a cavallo	to ride on horseback
caverna *f.*	cave
cadere	to fall, to yield, give up
celebrare	to celebrate
cena *f.*	supper
cenno *m.*	sign
cento	one hundred
cercare	to seek, look for
cercare di	to try to
certo	certain, sure, certainly, surely, of course
cervello *m.*	brain
che	who, which, that, whom, what, what a, than
che cosa	what
non . . . che	only
chi	who, whom, the one who, those who
chiamare	to call, to name
chiamarsi	to be called, to be named
chiamato	called, named
chiaro	clear, obvious
chiedere	to ask (for)
chiesa *f.*	church
chiese	asked
chiesero	asked
chiudere	to close
chiudere occhio	to sleep
chiuse	closed
ci	us, to us, in it, there
ciascuno	each one
cibo *m.*	food
cielo *m.*	sky
cima *f.*	top
ciò	that
circo equestre *m.*	circus
circondare	to surround

95

città *f.*	city
cliente *m.*	client, customer
clientela *f.*	clientèle, customers
clima *m.*	climate
coda *f.*	tail
collana *f.*	necklace
collina *f.*	hill
collo *m.*	neck
colpa *f.*	blame, guilt, fault
colpo *m.*	blow
colore *m.*	color
coltello *m.*	knife
comandante *m.*	commander
combattere	to fight
come	how, like, as
come se	as if, as though
cominciare (a)	to begin (to)
commentare	to comment
commercio *m.*	trade
comodo	comfortable
compagna *f.*	friend, companion
compagnia *f.*	company
compagno *m.*	friend, companion
comparire	to appear
comparve	appeared
compassione *f.*	compassion
in compenso	in return
completamente	completely, thoroughly
completo	complete
complimento *m.*	compliment
senza complimenti	without further ado
comprare	to buy
compreso	including
con	with
conciso	concise
condannare	to condemn
condizione *f.*	condition, station, position
condurre	to lead
confondere	to confuse
confortare	to comfort
conoscenza *f.*	acquaintance
conquista *f.*	conquest
conquistare	to conquer
conquistatore *m.*	conqueror
consiglio *m.*	piece of advice
consolare	to console
consumare	to use up
contadino *m.*	peasant, farmer

96

contare (su)	to count (on)
contatto *m.*	contact
contendente	opposing
contento	glad, content, satisfied
contiguo	adjoining
continuare	to continue
continuo	continuous
continuò	continued
conto *m.*	account
rendersi conto di	to realize
per conto proprio	on (one's) own account
contro	against
convento *m.*	convent, monastery
conversione	conversion
convincere	to convince
convincersi	to convince oneself, to be convinced
si convinse	was convinced, was sure
convinto	convinced
coperta *f.*	covering, blanket
coperto (di)	covered (with)
coppia *f.*	couple, pair
coprire	to cover
coro *m.*	chorus
correggere	to correct
correre	to run
corse	ran
corsero	ran
corte *f.*	court
fare la corte a	to court
cortesia *f.*	courtesy
corto	short
cosa *f.*	thing
che cosa	what
qualche cosa (di)	something
coscia *f.*	leg, thigh
così	so, thus
costa *f.*	coast
costretto	obliged
costringere	to oblige
costruire	to build
costruirsi	to build for oneself
costruzione *f.*	construction
cotto	cooked
creatore *m.*	creator
creatura *f.*	creature
creazione *f.*	creation
crede (a)	believes (in)

credere (a)	to believe (in)
creduto	believed
crepa *f.*	crack
crescente	increasing
critica *f.*	criticism
criticare	to criticize
cronaca *f.*	chronicle
cucchiaio *m.*	spoon
cucina *f.*	kitchen
cui	which, whom, to whom
il cui	whose
cuocere	to cook (intrans.)
fare cuocere	to cook (trans.)
cuoco *m.*	cook
cura *f.*	care
avere cura di	to take trouble to
curiosare	to peep
curiosità *f.*	curiosity
curioso	curious
curioso *m.*	peeper
custodire	to guard
custodito	guarded

D

da	from, by, to, at, in order to, to (at) the house of, since
da allora	from then on
danno *m.*	damage, harm
dappertutto	everywhere
dapprima	at first
darai	you will give
darci	(to) give to us
dare	to give
dare la caccia a	to hunt down
davanti (a)	before, in front (of)
davvero	indeed
debole	weak
decente	decent
decidere (di)	to decide (to)
decisero	decided
decisione *f.*	decision
deciso	decided
decorazione *f.*	decoration
dedicare	to dedicate
degli	of the, from the
dei *m. pl.*	gods
del, dell', della	of the, from the

denaro *m.*	money
dentro	inside
denunciare	to report
derivato	derived
desiderare	to desire, to wish
desiderio *m.*	desire, wish
desideroso	desirous, wishful
destro	right
detto	said, called
devi	you must
devoto	devoted
devozione *f.*	devotion
di	of, from, than
di nuovo	again
diabolico	diabolical
diavolo *m.*	devil
dice	says
si dice	it is said, says to (one) self
diceva	said
dicono	say
diede	gave
difendere	to defend
difesa *f.*	defence
differente	different
difficile	difficult
difficoltà *f.*	difficulty
digiunare	to fast
dimensione *f.*	dimension, size
diminuire	to diminish
dimmi	tell me
Dio *m.*	God
dio *m.*	god
dipingere	to paint
dipinto	painted
dire	to say, to tell
sentire dire che	to hear that
direzione *f.*	direction
diritto	straight
diritto *m.*	right
dirmi	to tell me
disastro *m.*	disaster
disastroso	disastrous
disattento	absent-minded
discreto	good, decent
discussione *f.*	discussion
discutere	to discuss
disgrazia *f.*	misfortune
disperazione *f.*	despair, desperation

dispiace	displeases
mi dispiace	I am sorry
dispiacere	to displease
disposto	ready
disse (di)	said, told (to)
dissero (di)	said, told (to)
distanza *f.*	distance
distendere	to hold out
distese	held out
distinguere	to distinguish
distrarre	to distract
distratto	absent-minded
distruggere	to destroy
distrussero	destroyed
distruzione *f.*	destruction
diventare	to become
diventò	became
diverso	different
divertimento *m.*	amusement
divertirsi	to have a good time
dividere	to divide
divinità *f.*	divinity
divisorio	dividing
divorare	to devour
dò	I give
dobbiamo	we must
docile	gentle
dolce	sweet, gentle
domandare	to ask (for)
domani	tomorrow
domestico	domestic
dominare	to dominate
dondolare	to swing, to amble
donna *f.*	lady, woman
dopo	after, afterwards
dopo che	after
dopo (*inf.*)	after (-ing)
dopo aver parlato	after speaking, after having spoken
dopo essere partito	after leaving, after having left
dormire	to sleep
dormitore *m.*	sleeper
dorso *m.*	back
dotato (di)	endowed with
dove	where
dovere	to have to, be obliged to
dovette	had to
doveva	had to

dovrà	will have to
dubbio *m.*	doubt
ducato *m.*	ducat
due	two
duecento	two hundred
Duecento *m.*	thirteénth century (1200's)
duecentonovanta	290
dunque	therefore, then
durante	during
durare	to last
duro	hard

E

e	and
è	is
c'è	there is
ebbene	well, very well
ebbe	had
ebbero	had
eccetera	et cetera
ecco	behold, here is (are)
economia *f.*	economy
fare economia	to economize, to save money
ed	and
edificio *m.*	building
educare	to bring up
educato	brought up
educazione *f.*	education, upbringing
egli	he
egoista	selfish
elemosina *f.*	alms, offering
energico	energetic
entrare (in)	to enter
entusiasmo *m.*	enthusiasm
era	was
c'era	there was
erano	were
c'erano	there were
eremita *m.*	hermit
esatto	exact
esempio *m.*	example
per esempio	for example
esercito *m.*	army
esitare	to hesitate
esperienza *f.*	experience
esporre	to expound
essa	she, her, it

essendo	being
essere	to be
essere solito	to be accustomed to, to have the habit of
essi	they
estate *f.*	summer
estremità *f.*	end, extremity
età *f.* (le età)	age
Etna *m.*	Etna
Europa *f.*	Europe
evidentemente	obviously
evitare	to avoid

F

fa	does, makes
fa (with time)	ago
faccenda *f.*	matter
faccia *f.*	face
facciamo	we make, let us make
facendo	making, doing
facesse	made, would make
faceva	made, did
faceva (with weather)	it was
facevano complimenti	they paid compliments
facile	easy
facilmente	easily
faentino	of Faenza
fai	you do
falce *f.*	scythe, sickle
falcone *m.*	falcon
falso	false
falso *m.*	trick
fame *f.*	hunger
avere fame	to be hungry
morire di fame	to starve to death
famiglia *f.*	family
famoso	famous
fanciulla *f.*	girl, maiden
fanno	make, do, cause
fare	to make, to do, to cause
fare cuocere	to cook
fare male a	to do harm to
fare meraviglia	to cause surprise
fare parlare (qualcuno)	to have (someone) talk
fare piacere	to give pleasure
faremo	we shall make

fata *f.*	fairy
Fata Morgana *f.*	mirage
fatto *m.*	fact
fatto	made, done, cause
favola *f.*	fable, story
favore *m.*	favor
fece	made, did, caused
fecero	made, did, caused
fede *f.*	faith
felice	happy
femmina *f.*	woman
fenomeno *m.*	phenomenon
fermare	to stop
fermarlo	to stop him
fermarsi	to stop
fermo	still, motionless
feroce	ferocious
festa *f.*	feast, festival, party
fiamma *f.*	flame
fidarsi di	to trust
fidato	trusted
figlia	daughter
figlio *m.*	son
figura *f.*	figure
filare	to spin
filatoio *m.*	spinning wheel
filatrice *f.*	spinner
finalmente	at last
finanziario	financial
finchè	until
fine *f.*	end
alla fine	finally
fine *m.*	purpose
al fine di	with the purpose of
finestra *f.*	window
fingersi	to pretend to be
si finse	pretended to be
finire	to finish, to end
fino a	up to, until, as far as
finora	until now
finta *f.*	pretence
fare finta	to pretend
finto	pretended
fiorentino	Florentine
fiorire *f.*	flowering, flourishing
fiume *m.*	river
florido	flourishing
foglia *f.*	leaf

fondare	to found
fondo *m.*	bottom
in fondo	after all
forchetta *f.*	fork
foresta f.	forest
fornire di	to furnish with
forse	perhaps
forte	strong, loud
fortissimo	very strong, very loud
fortuna *f.*	fortune, luck
per fortuna	fortunately
forza *f.*	force, strength
per forza	perforce, of necessity
fosse	might be
fra	within, between, among
frate *m.*	friar, brother
fraticello *m.*	little friar
frattempo	meantime
freddo *m.*	cold
fare freddo	to be cold (weather)
frequentemente	frequently
di fronte	before
fu	was
fuggire	to flee
fumo *m.*	smoke, steam
fuoco *m.*	fire
fuori (di)	outside (of)
fuori (da)	out (from)
furbo	shrewd, cunning
furioso	furious

G

gabbia *f.*	cage
gamba *f.*	leg
gattino *m.*	kitten
gatto *m.*	cat
generale *m.*	general
generalmente	generally
generoso	rich, generous
geniale	brilliant
gente *f. sing.*	people
gentile	gentle, noble, kind, nice
gesto *m.*	gesture, movement
gettare	to throw
gettarle	to throw them
gettarsi	to throw oneself
già	already

giardino *m.*	garden
giocare	to play
gioia *f.*	joy
giornata *f.*	day
giorno *m.*	day
al giorno d'oggi	today
di giorno	by day
giostra *f.*	tournament
giovane	young
giovane *m.*	young man
Giove *m.*	Jove
girare	to turn
giro *m.*	turn, space, course
andare in giro	to go around
giù	down
giudicare	to judge
giudice *m.*	judge
giusto	just, right
gli	the, to him
glielo	it to him, it to her
gloria *f.*	glory
godere	to enjoy
goffo	clumsy
governare	to govern
grande	large, great
grandissimo	very large, very great
grasso	fat
grave	serious
gravemente	seriously
grazioso	pretty
gridare	to shout
grosso	large
grotta *f.*	cavern
gru *f.*	crane
gruppo *m.*	group
guadagnare	to earn
guancia *f.*	cheek
guardare	to look (at)
guerra *f.*	war

H

hai	you have

I

i	the
idea *f.*	idea
cambiare idea	to change one's mind

iersera	yesterday evening
il	the
illuso	deluded, foolish
imitare	to imitate
immaginarsi	to imagine
immobile	motionless
impadronirsi	to take possession
impallidire	to grow pale
imparare	to learn
impazzito	crazy
impedire	to prevent
imperatore *m.*	emperor
impero *m.*	empire
impiccare	to hang, be hanged
implicare	to imply
importanza *f.*	importance
impossibile	impossible
impresa *f.*	undertaking
improvvisamente	suddenly, unexpectedly
in	in, on
inaspettato	unexpected
incantesimo *m.*	enchantment
incantevole	enchanting
incanto *m.*	enchantment
incarico *m.*	task
inchinare	to bend, to bow
incominciare (a)	to begin (to)
incompiuto	unfinished
insomma	in short
insultare	to insult
intanto	meanwhile
intelligente	intelligent
intelligenza *f.*	intelligence
intenditore	connoisseur
intenso	intense
intenzione *f.*	intention
interessante	interesting
interesse *m.*	interest
interno	inside, inner, interior, internal
intero	whole, entire
interpretazione *f.*	interpretation
interrogare	to question
interrompere	to interrupt
interruppe	interrupted
interruzione *f.*	interruption
intimo	intimate
inutile	useless
invaso (da)	invaded (by)

invasore *m.*	invader
invasore	invading
invece di	instead of
invece di (· inf.)	instead of (·ing)
inventare	to invent
invenzione *f.*	invention
inverno *m.*	winter
d'inverno	in winter
invitare	to invite
io	I
isola *f.*	island
istante *m.*	instant
italiano	Italian

L

l'	the him, her, it
la	the, her, it
laborioso	industrious
lago *m.* (laghi)	lake
lamentarsi	to complain
lanaiolo *m.*	wool merchant
largo	wide
lasciamo	let us leave, let us let
lasciare	to leave, to let
lasciò	left, let
lato *m.*	side
lavorare	to work
lavoro *m.*	work
le	the, them, to her, to it
leccare	to lick
legare	to tie, to fasten
legge *f.*	law
leggenda *f.*	legend
leggere	to read
leggerissimo	very light, very slight
leggero	light, slight
lei	she, her
lentamente	slowly
letto *m.*	bed
levato	raised
li	them
lì	there
liberale	generous
liberami	free me
liberare	to free
liberato	freed
libro *m.*	book

lingua *f.*	tongue
lo	the, him, it
lodare	to praise
lombardo	Lombard
lontano	far, far away
di lontano	from afar
loro	they, them, to them, their, theirs
lotta *f.*	struggle
luce *f.*	light
lui	he, him, it
lume *m.*	light
lungo	long, along
a lungo	at length, for a long time
luogo *m.*	place
lupo *m.*	wolf

M

ma	but, however
madre· *f.*	mother
maestro *m.*	master
magari	perhaps
maggiore	greater, major
magìa *f.*	magic
magnifico	magnificent
magrissimo	very thin, very lean
magro	thin, lean
mai	ever, never
non... mai	never
malato	sick
male *m.*	harm, evil, pain
fare male a	to do harm to
malefizio *m.*	spell
mandare	to send
mandare un urlo	to utter a shout
mandarla	to send her
mangiare	to eat
manifestare	to show
mano *f.* (le mani)	hand
manovra *f.*	manoeuver
mansuetamente	tamely
mantello *m.*	cloak
mantenere	to maintain, to keep
mantenersi	to remain
mare *m.*	sea
in mare	on the sea
marinaio *m.*	sailor
marito *m.*	husband

marittimo	maritime
maschio m.	man
massimo	greatest
mattina f.	morning
mattino m.	morning
me	me, to me
medioevale	mediaeval
medioevo m.	the Middle Ages
meditare	to meditate
Mediterraneo m.	Mediterranean
meglio`	better, best
meno	less, least
meno di	less than, least of
mente f.	mind
mentre	while, as
menzionare	to mention
meraviglia f.	wonder
fare meraviglia	to cause surprise
meraviglioso	wonderful
mercante m.	merchant
mercato m.	market
meritare	to deserve
mescolare	to mix
mese m.	month
messer m.	mister
metà f.	half
mettere	to put, to place
mettersi	to put on
mettersi a	to begin to, to set about
mezzo	half
mezzo m.	means, middle, method
per mezzo di	by means of
mi	me, to me, myself
mia, mie, miei, mio	my, mine
milanese	Milanese
militare	military
mille	one thousand
minacciare	to threaten
minestra f.	soup
minore	lesser, minor
minuto m.	minute
miracolo m.	miracle
miracoloso	miraculous
miraggio m.	mirage
mise	put, placed
si mise	put on
si mise a	started to, set about, began to
miseramente	miserably, wretchedly

misero	poor, miserable, wretched
misero	put, placed
si misero	put on
si misero a	started to, set about, began to
mite	wild, gentle
modestamente	modestly, simply
modo *m.*	way, manner
avere modo di	to have a chance to
moglie *f.*	wife
molte, molti	many
moltiplicare	to multiply
molto	much, very
momento *m.*	moment
mondo *m.*	world
moneta *f.*	coin
montagna *f.*	mountain
monte *m.*	mountain
monumento *m.*	monument
mordere	to bite
mordermi	to bite me
Morgana, Fata	Fata Morgana (mirage)
morire	to die
morirono	died
morissero	died
mortale	deadly
morte *f.*	death
morto	dead
mosse	moved
si mossero	moved
mostrare	to show
motivo *m.*	motive, reason
mucca *f.* (le mucche)	cow
mucchio *m.*	pile, heap
muoiono	die
muoversi	to move
muro *m.*	wall
museo *m.*	museum
musicale	musical
muso *m.*	face (of an animal)
muto	silent

N

napoletano	Neapolitan
narratore *m.*	story-teller
nato	born
natura *f.*	nature
naturalmente	naturally

nave *f.*	ship
ne	of it, of them, some, any, from there
non...nè...nè	neither...nor
nebbia *f.*	mist
necessità *f.*	necessity
negozio *m.*	shop, store
nel, nella, nel, nelle, nello	in the
nemico *m.*	enemy
nemmeno	not even
neppure	not even
nessuno	no one, not any, no
non ... nessuno	no one, not any, no
nettamente	clearly, sharply
neve *f.*	snow
niente (di)	nothing
non ... niente	nothing
no	no
nobile	noble
noi	we, us
nome *m.*	name
non	not
non...che	only
non...mai	never
non...nè...nè	neither...nor
non...nessuno	no one, not any, no
non...niente	nothing
non...nulla	nothing
non ... più	no more, no longer
Nord *m.*	north
nostro	our, ours
notare	to note, to notice
notte *f.*	night
la notte	at night
di notte	by night
in piena notte	in the depth of night
novella *f.*	tale, story
nulla	nothing
non ... nulla	nothing
numero *m.*	number
numerosi	numerous
nuovo	new
di nuovo	again

O

o	or
obbedire (a)	to obey
obbiettare (su)	to object (to)

occasione *f.*	occasion, chance
occhiali *m. pl.*	spectacles, eyeglasses
occhiata *f.*	glance
occhio *m.*	eye
odiare	to hate
offendere	to offend
offerse	offered
offerto	offered
offrire	to offer
oggi	today
al giorno d'oggi	today
ogni	each, every
ognuno	each, each one
olio *m.*	oil
oltre	beyond
onestamente	honestly
onorare	to honor
onore *m.*	honor
operaio *m.*	workman
operazione *f.*	operation
opportuno	opportune
or ora	just now
ora	now
ora *f.*	hour
essere ora di	to be time to
ordinare	to order, to arrange
ordine *m.*	order
ordini (di)	you order (to)
ordino (di)	I order (to)
ordinò (di)	ordered (to)
orecchia *f.*	ear
organizzare	to organize
orientale	eastern
oriente *m.*	east
orizzonte *m.*	horizon
ormai	by now
oro *m.*	gold
orso *m.*	bear
osare	to dare
ospite *m.*	guest
osso *m.* (le ossa)	bone
osservare	to observe
oste *m.*	innkeeper
osteria *f.*	inn
ottenere	to obtain
ottenne	obtained
ottimo	excellent
Ovest	west

pace *f.*	peace
pacifico	peaceful, calm
padella *f.*	pan, pot
padre *m.*	father
padrone *m.*	master, owner
paese *m.*	country, town, village, land
pagami	pay me
pagano	pagan
pagare	to pay
paglia *f.*	straw
pagliaccio *m.*	clown
palazzo *m.*	palace
pallido	pale
pallore *m.*	pallor, paleness
pane *m.*	bread
Papa *m.*	Pope
parente *m. or f.*	relative
parete *f.*	wall
parlare	to speak, to talk
parlare *m.*	speech
parli	you talk
parola *f.*	word
parte *f.*	part, share, side
da parte sua	for (his) (her) part
dall'altra parte	on the other side
partenza *f.*	departure
partire	to depart
passare	to spend, to pass, to cross
passo *m.*	step
pastore *m.*	shepherd
patto *m.*	condition, part
a un patto	on one condition
paura *f.*	fear
avere paura	to be afraid
pavimento *m.*	floor
pazzia *f.*	madness
pazzo	crazy, mad
pecora *f.*	sheep
pelle *f.*	skin
pellegrinaggio *m.*	pilgrimage
pellegrino *m.*	pilgrim
pelliccia *f.*	skin, fur coat
penetrare	to penetrate
penisola *f.*	peninsula
pennello *m.*	paintbrush
pensarci	to think about it

113

pensare (a)	to think (of)
pentola f.	saucepan, pot
per	for, to, in order to, through
per caso	by chance
per esempio	for example
per piacere	please
perchè	why, because, in order that
perciò	therefore
perdutamente	madly
pericolo m.	danger
pericoloso	dangerous
periodo m.	period
perla f.	pearl
permesso m.	permission
permesso	allowed, permitted
permettere	to allow, to permit
però	but, however
persino	even
persona f.	person
personaggio m.	character
personalmente	personally
pesante	heavy
pezzo m.	piece
piacere m.	pleasure
far piacere	to give pleasure
per piacere	please
piaceva	pleased
piacque	pleased
piano m.	plan
pianta f.	plant
piatto	flat
piatto m.	plate, dish
piccolissimo	very small
piccolo	small
piede m.	foot
a piedi	on foot
piega f. (le pieghe)	fold, wrinkle, line on hand
piemontese	Piedmontese
pieno (di)	full (of)
pietra f.	stone
Pietro m.	Peter
pio	pious
pioggia f.	rain
piovere	to rain
pirata m.	pirate
pittore m.	painter
pittura f.	painting
più	more

114

più di	more than
di più	more
non . . . più	no more, no longer
piuttosto	fairly, rather
po' (poco)	little
pochi	few
poco	little
podere *m.*	estate
poi	then, after, later
pollo *m.*	chicken
popolo *m.*	population, people, nation
porre	to place
porta *f.*	door, gate
portaci	take us, bring us
portare	to carry, to bring, to wear
portare via	to carry away, to take away
porto *m.*	port
possa	can
possibile	possible
possibilmente	possibly
posso	I can, I may
posteriore	rear
posto	placed
posto *m.*	place
potè	could
potente	powerful
potere	to be able
non poterne più	not to stand it any longer
potere *m.*	power
poveramente	poorly
poveretto *m.*	poor thing, wretched one
povero	poor
pranzo *m.*	dinner
precisamente	precisely, exactly
preciso	precise, exact
preferibilmente	preferably
preferire	to prefer
pregare	to pray, to beg
premio *m.*	prize
prendere	to take, to catch
preoccupazione *f.*	concern
preparare	to prepare
prepararsi	to get ready, prepare oneself
prese	took
presentare	to present, to show
presente	present
presenza *f.*	presence
presero	(they) took

preso	taken, seized
presto	soon, quickly
pretendere	to claim, to expect, to pretend
prezioso	precious
prigione *f.*	prison
prigioniero *m.*	prisoner
prima	first
prima di	before
prima di (-inf.)	before (-ing)
primavera *f.*	spring
primo	first
principale	principal
principessa *f.*	princess
principio *m.*	beginning
privato	private
problema *m.*	problem
processo *m.*	lawsuit, trial
prodigio *m.*	wonder, miracle
professione *f.*	profession
di professione	professional
profondo	deep
profumo *m.*	perfume, smell
progetto *m.*	plan
proibire	to forbid
proibisce	forbids
pronto	ready
pronunziare	to pronounce
proposito *m.*	purpose, regard, connection
proposta *f.*	proposition
proprietà *f.*	suitability
proprio	just, exactly, proper, own, indeed
per conto proprio	on (one's) own account
prosa *f.*	prose
proteggere	to protect
protetto	protected
prova	try out
provare	to try out
punizione *f.*	punishment
punta *f.*	point
punto *m.*	point, stage, place
può	can
puoi	you can
purchè	provided (that)
pure	then, indeed
puro	pure
purtroppo	unfortunately

116

Q

quadro *m.*	picture
qualche	some
qualche cosa (di)	something
qualcuno	someone
quale	which, which one
il, la quale	who, whom, which
qualsiasi	any at all
quando	when
quantità *f.*	quantity
quanto	how much, all that
quanto tempo	how long
quaresima *f.*	Lent
quasi	almost
quattro	four
quel, quello, quella	that
quello (quella) che	the one who (which)
quelli (quelle)	those
quelli, quelle che	those who (which)
questa, questo	this
questi, queste	these
questi	this one, he, the latter
qui	here
quindi	then, therefore
quindici	fifteen
quindici giorni	two weeks

R

rabbia *f.*	rage
raccogliere	to gather together (trans.)
raccogliersi	to gather together (intrans.)
raccolta *f.*	collection
raccolto	gathered
raccomandare	to commend
raccontare	to tell, to narrate
racconto *m.*	tale
radunare	to gather together
ragazzo *m.*	boy
raggiungere	to reach
ragione *f.*	reason, right
avere ragione	to be right
rallegrare	to enliven
ramo *m.*	branch
rapidamente	rapidly
rappresentare	to represent
ravvivarsi	to brighten
re *m.*	king

117

reagire	to react
reagì	reacted
reale	royal
realtà *f.*	reality
recarsi	to go
regalo *m.*	gift
regina *f.*	queen
regione *f.*	region
regno *m.*	kingdom
regola *f.*	rule
remare	to row
rendere	to make, to give back
rendi	give back
rendersi conto di	to realize
replicare	to reply
resistere	to resist
restituire	to give back, to return, to pay back
resto *m.*	rest
ribrezzo *m.*	disgust
riccamente	richly
ricchezza *f.*	wealth
ricchezze *f. pl.*	riches
ricco	rich
ricerca *f.*	search
ricercato	sought
ricevere	to receive
riceverlo	to receive him
ricevette	received
ricevimento *m.*	party, reception
richiesta *f.*	request
riconoscente	grateful
ricordare	to remember
ricorrere a	to have recourse to
ridendo	laughing, smiling
ridere	to laugh
ridiventare	to become again
rifiutare	to refuse
riflesso	reflected
riflettere	to reflect
rigorosamente	rigorously, strictly
rimanere	to remain
rimarrai	you will remain
rivolgere	to turn
rivolto	turned
rizzarsi	to stand up
robusto	strong, robust
roccia *f.*	rock

romano	Roman
rompere	to break
rozzamente	clumsily
ruppe	broke

S

sacco	sack, sackcloth
sacro	sacred
saggezza *f.*	wisdom
saggio	wise
sai	you know
salare	to salt
salato	salted
saldare (un conto)	to settle (a bill)
sale *m.*	salt
salire	to go up, to mount
salvare	to save, to rescue
salvatore *m.*	savior
salvezza *f.*	safety
salvo	safe
San	Saint
sanno	they know
santa *f.*	saint
santo *m.*	saint
sapere	to know
sarà	(it) will be
saraceno	Saracen
sarebbero	would be
sarò	I will be
a sazietà	as much as desired
sbarcare	to disembark
scalzo	barefoot
scappare	to escape, to flee
scarafaggio *m.*	beetle
scatola *f.*	box
scegliere	to choose
scenata *f.*	scene
scendere	to descend
scese	descended
scherzo *m.*	joke
schiacciare	to crush
scimmia *f.*	monkey
scoglio *m.*	rock, cliff
scomparire	to disappear
scomparve	disappeared
scopersero	discovered

scoperta *f.*	discovery
scoprire	to discover
scritto	written
scuola *f.*	school
se	if, whether
sè	himself, herself, itself, oneself, themselves
secolo *m.*	century
secondo	according to
sedere	to sit (down)
seduto	seated
seggiola *f.*	chair
seguente	following
seguire	to follow
sei	you are
sei	six
selvaggina *f.*	game
sembrare	to seem, to appear
sempre	always, still
sempre più	more and more
senso *m.*	meaning, sense
sentenza *f.*	sentence
senti	listen
sentiero *m.*	path
sentire	to feel, to hear, to listen
sentire dire che	to hear that
sentirsi	to feel
senza	without
senza (-*inf.*)	without (-ing)
separare	to separate
separatamente	separately
seppe	knew, learned
sera *f.*	evening
sereno	serene, clear
serio	serious
serpe *f.*	snake
servirsi (di)	to use
servo *m.*	servant
settembre *m.*	September
settimana *f.*	week
severamente	severely
sezione *f.*	section
sfidare	to challenge
si	himself, herself, itself, oneself, themselves
sì	yes
siano	are
sicchè	so that

120

siccome	as, since, because
Sicilia *f.*	Sicily
siciliano	Sicilian
sicuro	sure, safe
significato *m.*	meaning
signore *m.*	gentleman
Signore *m.*	Lord
silenzio *m.*	silence
simile	similar
sinistro	left
sissignore	yes sir
situazione *f.*	situation
smettere	to stop, to give up
soddisfare	to satisfy
soffiare	to blow
soffiò	blew
soffrire	to suffer
sognare	to dream
soldato *m.*	soldier
sole *m.*	sun
solito	usual
essere solito	to be accustomed to, to have the habit of
al solito	as usual
solitudine *f.*	solitude
solo	alone, only
da solo	alone
soltanto	only
somma *f.*	sum
sommergere	so submerge
sommerso	submerged, sunken
sono	are
ci sono	there are
sonno *m.*	sleep
avere sonno	to be sleepy
sopra	on top of
soprannome	nickname
soprattutto	especially, above all
sordo	dull
sorprendere	to surprise
sorpreso	surprised
sorridente	smiling, attractive
sorridere	to smile
sorrise	smiled
sorriso *m.*	smile
sospetto *m.*	suspicion
sospettoso	suspicious
sotto	under, below

121

sott'acqua	under water
spalla *f.*	shoulder, back
sparito	disappeared
sparire	to disappear
spaventarsi	to be afraid
spavento *m.*	fright, fear
spazzatura *f.*	garbage
specchiare	to reflect
specchiato	reflected
specchio *m.*	mirror
speciale	special
specialmente	especially
spendere	to spend
speranza *f.*	hope
sperare	to hope
spesa *f.*	expense, expenditure
spese	spent
spesso	thick, frequent, frequently
spiaggia	beach, shore
spiegare	to explain, to unfold, to open (sails)
spingere	push
spinto da	driven by
spirito *m.*	spirit
splendido	splendid
sponda *f.*	shore
sposa *f.*	bride
sposare	to marry
sposarsi	to get married, to marry one another
sposato	married
spostare	to move
staccare	to remove
stagione *f.*	season
stai	you are
stalla *f.*	stable
stanco	tired
stanno	are, stand, wait
stanza *f.*	room
stare	to be, to stand, to wait
stare per	to be about to
starsene	to remain
stato *m.*	state
stato maggiore *m.*	headquarters
stava	was
stava bene	was comfortable
steccato *m.*	fence, screen
stesso	same, very, -self

stoffa *f.*	stuff, material, yard goods
storia *f.*	history, story
strada *f.*	street, road
strano	strange
straordinario	extraordinary
straordinariamente	extraordinarily
strappare	to tear (up)
stratagemma *m.*	stratagem
strega *f.*	witch
stretto	narrow
stretto di mare *m.*	strait
studiare	to study
su	on, up, upon, over
sù	up
sua	his, her, hers, its, your, yours
subito	immediately
succedere	to happen
sud, *m.*	south
sufficiente	sufficient
suo	his, her, hers, its, your, yours
suonare	to sound, to ring
suonerà	will sound, will ring
suono *m.*	sound
suora *f.*	sister, nun
superbia *f.*	pride
superbo	proud
superiora *f.*	Mother Superior
superiore	superior
superstizioso	superstitious
svegliare	to wake
sveglio	awake
sveltezza *f.*	speed

T

tacere	to be silent
tacque	was silent, became silent
tale	such
un tale	a certain man
talmente...da	so...as to
tana *f.*	den, lair
tanto	so, so much
tasca *f.*	pocket
taverna *f.*	inn
tavola *f.*	table
te	you, to you
tempo *m.*	time, weather
che tempo fa	how is the weather

123

tenace	insistent, strong, tenacious
tenere	to hold
tenga	hold, keep
tenne	held
tentare (di)	to try (to)
terra *f.*	land, earth
a terra	on land, ashore, on the floor
terribile	terrible
testa *f.*	head
testata *f.*	head (of bed)
tetto *m.*	roof
ti	you, to you
tirare	to pull, to draw
tirato da	drawn by
toccare	to touch
toccherai	you will touch
togliere	to remove, to take out
togliersi	to take off
tolse	took out, took away
topo *m.*	mouse
tormentare	to torment
torto *m.*	wrong
avere torto	to be wrong
toscano	Tuscan
tovagliolo *f.*	napkin
tra	between, among, within
traccia *f.*	trace
tranquillamente	calmly
trarre	to derive
trassero	derived
trasportare	to transport, to carry
trattare	to treat
si tratta di	it is a question of
tratto *m.*	piece, section
tre	three
tremare	to tremble
tremendo	tremendous
trentina *f.*	about thirty
tribunale *m.*	law court
triste	sad
tropicale	tropical
troppo	too, too much
trovare	to find
trovarsi	to find oneself, to be found
andare a trovare	to go and visit
trucco *m.*	trick
truffa *f.*	trick, cheating
tu	you

tuo, tua	your, yours
tuoi	your, yours
turista *m.*	tourist
tuttavia	nevertheless, however, yet
tutti	everyone, all
tutti e tre	all three
tutto	everything, all
tutto quello che	all that
del tutto	completely, absolutely

U

uccello	bird
uccidere	to kill
udienza *f.*	audience
ufficiale *m.*	officer
uguale	equal
ulivo *m.*	olive-tree
ultimo	last
umano	human
buon umore	good humor, good nature
uno, una	a, one
unico	sole, only
uniforme *f.*	uniform
uomo *m.* (gli uomini)	man
urlare	to shout
urlo *m.*	shout
mandare un urlo	to utter a shout
usare	to use, to be accustomed to, to have the habit of
uscire	to go out
uso *m.*	use

V

va	go, goes
va bene	very well, all right
vado	I go, I am going
vagare	to wander
vai	you go
valle *f.*	valley
vanno	go
vapore *m.*	steam
vario	various, varied
vecchio	old
vecchio *m.*	old man

125

vedere	to see
si vede	is seen
si vedeva	was seen
si vedevano	were seen
si vedono	are seen
vedova *f.*	widow
vedrà	will see
vela *f.*	sail
veleno *m.*	poison
veloce	swift
vendere	to sell
vendette	sold
vendita *f.*	sale
venerare	to worship
venga	comes
vengono	come
venire	to come
venissero	would come
venne	came
ventina *f.*	about 20, a score
vento *m.*	wind
veramente	really, truly
verdura *f.*	vegetable, greens
verità *f.*	truth
vernaccia *f.*	vernacchia (white wine)
vero	real, true, is it not
verso (di)	towards
vestito *m.*	garment, suit, dress
vi	you, to you
via *f.*	road, way
andare via	to go away
per via di	by way of
viaggiatore *m.*	traveler
viaggio *m.*	journey
vicinato *m.*	neighborhood
vicino	near, nearby, neighboring
vicino *m.*	neighbor
vide	saw
videro	saw
viene	comes
vieni	come
villaggio *m.*	village
vino *m.*	wine
visita *f.*	visit
visitare	to visit
visitato	visited
vissuto	lived
visto	seen

126

vita *f.*	life
vivace	vivid, bright
vive	lives
vivere	to live
viveva	lived
vivo	alive, living
vizio *m.*	vice
voce *f.*	voice
vogliamo	we wish
voglio	I wish
volare	to fly
volentieri	willingly
volere	to wish, to want
volere bene	to be fond of
volere dire	to mean
volle	wished
vollero	wished
volontario *m.*	volunteer
volpe *f.*	fox
volta *f*	time
per volta	at a time, at once
una volta	once
due volte	twice
spesse volte	often
c'era una volta	there was once upon a time
alla volta di	in the direction of
voltarsi	to turn round
voluto	wished
vorrà	will wish
vorrà bene	will like, will be fond of
vorrai	you will wish
vuoi	you wish
vuoto	empty, hollow

Z

zampa *f.*	paw, leg
zoologico	zoological

127

Caroline Fendale

FOLK SONGS OF ITALY

COME IL PENDOLO (Like the Pendulum)

Come il pendolo dell'oriuolo
Sempre ticche sempre tacche,
Il mio cuore sempre fa . . .

Like the pendulum of the clock
Always tick, always tock,
My own heart always goes . . .

SETA, MONETA (Silk, Money)

Seta, moneta,
Le donne di Gaeta
Che filano la seta,
La seta e la bambagia,
Bambini, chi vi piace?

Silk, money,
The women of Gaeta
Who are spinning silk,
Silk and cotton,
Children, whom do you like?

Ci piace Giovanni,
Che fa cantare i galli,
La chioccia e i suoi pulcini,
I galli e le galline,
Che fanno coccodè.

We like Johnny,
Who makes the roosters crow,
The clucking hen and chicks,
The cockerels and pullets,
Who cackle away.

Canta gallina,
Fa l'ovo domattina,
Vicino al gallo rosso,
Vicino al gallo bianco,
Che fan chicchirichì.

Cluck, hen,
Lay your egg tomorrow,
Next to the red rooster,
Next to the white rooster,
Who go cock-a-doodle-doo.

PANINO D'OR (Golden Loaf)

Il pan nel forno cuocendo sta
E il fanciullo seduto l'aspetta già,

The bread in the oven is baking
And the child is sitting and waiting for it,

E il fanciullo seduto l'aspetta già.

And the child is sitting and waiting for it.

Cuoci presto, presto, panino d'or,

Bake quickly, quickly, my golden
loaf,

Che mi sento morire pel gran
languor,
Che mi sento morire pel gran
languor!

I'm passing out with hunger pain,

I'm passing out with hunger pain!

È ARRIVATO L'AMBASCIATORE (The Ambassador Is Here)

First Group

È arrivato l'ambasciatore,
Oilì, oilì, oilera,
È arrivato l'ambasciatore
Oilì, oilì, oilà.

The ambassador is here,
Oilì, oilì, oilera,
The ambassador is here,
Oilì, oilì, oilà.

Cosa vuole l'ambasciatore,	What is the ambassador here for,
Oilì, oilì, oilera,	Oilì, oilì, oilera,
Cosa vuole l'ambasciatore,	What is the ambassador here for,
Oilì, oilì, oilà?	Oilì, oilì, oilà?

First Group

Egli cerca una bambina,	He is looking for a girl,
Oilì, oilì, oilera,	Oilì, oilì, oilera,
Egli cerca una bambina,	He is looking for a girl,
Oilì, oilì, oilà.	Oilì, oilì, oilà.

Second Group

E qual'è questa bella bimba,	Who is this pretty girl,
Oilì, oilì, oilera,	Oilì, oilì, oilera,
E qual'è questa bella bimba,	Who is this pretty girl,
Oilì, oilì, oilà?	Oilì, oilì, oilà?

First Group

Questa bimba è la Maria,	This girl is Mary,
Ecc., ecc.	Etc., etc.

LA GALLINA DELLA CECCA (Cecca's Chicken)

Donna Cecca ha una gallina	Mrs. Cecca has a chicken
Che fa l'ovo ogni mattina,	Who lays one egg each morning,
E una volta due ne fè,	And once she laid two,
E una volta due ne fè.	And once she laid two.
La più bella non ne diè, no!	The prettiest did not lay, no!
La più bella non ne diè, no!	The prettiest did not lay, no!
Coccodè, coccodè, coccodè, ecc.	Cackle, cackle, cackle, etc.

QUEL MAZZOLIN DI FIORI (That Little Bunch of Flowers)

Quel mazzolin di fiori	That little bunch of flowers
Che vien dalla montagna,	Which comes from the mountain,
Quel mazzolin di fiori	That little bunch of flowers
Che vien dalla montagna,	Which comes from the mountain,
E bada ben che non si bagna	Be careful not to wet it
Perchè l'è da regalar.	For it is to be a gift.

Lo voglio regalare	I want to give it away
Perchè l'è un bel mazzetto	Because it is a beautiful bouquet
(Repeat)	(Repeat)
Lo voglio dare al mio moretto	I want to give it to my boy friend
Questa sera quando 'l vien.	This evening, when he comes.

Questa sera quando viene	This evening, when he comes,
Sarà una brutta sera,	It will be a bad night,
(Repeat)	(Repeat)
Perchè sabato di sera	Because Saturday night
No l'è venù da me.	He did not come to me.

No l'è venù da me,
L'è andà da la Rosina,
    (Repeat)
Perchè mi son poverina
Mi fa pianger, sospirar.

He did not come to me,
He went to Rosina's,
    (Repeat)
Because I am a poor girl
He makes me cry and pine away.

Mi fa pianger, sospirare,
Sul letto dei lamenti;
    (Repeat)
E cosa mai dirà la gente,
E cosa mai dirà di me?

He makes me cry and pine away,
Upon a bed of sorrow;
    (Repeat)
What will the people say,
What will they say of me?

Dirà che son tradita
Tradita nell'amore,
    (Repeat)
E a me mi piange il core
E per sempre piangerà.

They'll say I was betrayed
Cheated out of love,
    (Repeat)
And now my heart is weeping
And weep it always will.

Abbandonato il primo,
Abbandonato il secondo,
    (Repeat)
Abbandonato il mondo,
Non mi marito più.

Forsaken by the first one,
Forsaken by the second,
    (Repeat)
I will forsake the world
I will never marry now.

SANTA LUCIA

Sul mare luccica
L'astro d'argento,
Placida è l'onda,
Prospero il vento;
    (Repeat)

O'er the sea is shimmering
The silver moon,
Gently roll the waves,
Friendly is the wind;
    (Repeat)

Venite all'agile
Barchetta mia,
Santa Lucia,
Santa Lucia.
    (Repeat)

Come to my little boat
So swiftly sailing,
Santa Lucia,
Santa Lucia.
    (Repeat)

GIOVANOTTINA CHE VIENI ALLA FONTE
(Pretty Lass at the Fountain)

"Giovanottina che vieni alla fonte,

Due stelle in fronte ti vedo brillar."
"Giovanottino che parli sì bene,

D'amor le pene fan troppo penar!

Che cos'è, cosa non è?
Per me sei fatto, son fatta per te!"
"Che cos'è, cosa non è?
Per me sei fatta, son fatto per te!"
"Mio bel tesoro, tesoro mio bel,

Dammi la mano e ci metto l'anel."

"Che cos'è, cosa non è?
Per me sei fatto, son fatta per te!

"Pretty lass whom I met at the fountain
I see two stars shining brightly in your eyes."
"Handsome lad, talking to me so kindly,
You make my heart ache with the pangs of love!
Is it so, is it not so?
You are for me and I am for you!"
"Is it so, is it not so?
You are for me and I am for you!"
"My handsome treasure, my treasure dear,
Give me your hand and I'll give you the ring."
"Is it so, is it not so?
You are for me and I am for you."

ALLA MATTINA MI ALZO ALLE NOVE
(In the Morning I Get Up at Nine)

Alla mattina mi alzo alle nove
Con una faccia color d'un limone
E mi lavo con acqua e sapone
Per comparire una giovane d'amor.

In the morning I get up at nine
With a face that looks like a lemon
And I scrub it with water and soap
To look like a girl fit for love.

Ed io vado davanti allo specchio

E son proprio color d'un limone;
Oh Dio, mamma, che grande
    dolore
Ed io allora non mi marito più!

Then I go right in front of the
    mirror
And I see that I look like a lemon;
O Lord, mother, what a painful
    shock,
There will never be a husband for
    me!

LA ROSA È IL PIÙ BEL FIORE (The Rose Is the Prettiest Flower)

La rosa è il più bel fiore,
Fiore di gioventù;
Nasce, fiorisce e muore
E non ritorna più
Ed io t'amai,
T'adorai
E t'amo ancor...
Come un agnello docile
Ti seguirà il mio cor.

The rose is the prettiest flower,
A flower of youth;
It buds, it blooms, and dies
And then returns no more.
And I loved you,
Adored you,
And I still love you . . .
Like a tame little lamb
My heart will follow you.

MI VÔTU E MI RIVÔTU (I Toss and Turn)

Mi vôtu e mi rivôtu suspirannu
Passu la notti 'ntera senza sonnu,

E li bellizzi to' jeu cuntimplannu

Mi passa di la notti sina a jornu.

Pri tia non pozzu un'ura ripusari,

Paci non avi cchiù st'afrittu cori.

Lu sai quannu jeu t'aju a lassari?

Quannu la vita mia finisci e mori!

I toss and turn and I keep sighing
And spend the entire night with-
    out sleeping
And while I watch the image of
    your beauty
The whole night slips away into
    a new day.
Because of you I cannot rest one
    hour,
And this afflicted heart knows no
    more peace.
Do you know when I'll stop seeing
    you?
When life ends and I shall die.
                    (Sicilian)

LAUDA DI SANT'ANTONIO (Praise to Saint Anthony)

Antoni chi sos cherveddos
Ti lampana che arvata;
Preca pro sos moitheddos
Chi lis facat bona annata;

Ca si nono sa panata
Senza mele ti l'achimus.
    Antoni de Paduanu,
    Preca pro su Lodeinu!

Anthony, whose saintly brow
Flashes like a plough share;
Pray for the bee-hives,
That they should have a plentiful
    year!
Else, that bread pudding you love
Will be made without any apples.
    O, Anthony of Padua,
    Pray for the people of Lodè.
                    (Sardinian)

FENESTA CA LUCIVE (The Window Which Was Lighted)

Fenesta ca lucive e mò non luce,

That window which is now no longer lighted

Sign'è ca Nenna mia stace ammalata.

Is a sign that my Nenna is very ill.

S'affaccia la sorella e me lo dice:

Her sister comes to the window and says:

Nennella toja è morta e s'è atterrata.

"Your Nenna dear is dead and has been buried.

Chiagneva sempre ca dormeva sola, ah!

She used to cry because she slept alone

Mò dorme co li muorte accompagnata!

And now she has a bed-companion — Death!"

(Neapolitan)

VECCHIA CANZONE DI NATALE (Old Christmas Carol)

Staimi attents, staimi a sintì,
Staimi a sintì,
La orazion che us ai da dì,
La orazion che us ai da dì.

Take ye heed, listen to me,
Listen to me,
To the story I'm telling ye,
To the story I'm telling ye.

Staimi attents, staimi a sintì,
Staimi a sintì.
Luseve la lune come un biel dì
Quand che Marie parturì.

Take ye heed, listen to me,
Listen to me.
The moon shone bright as day
When Mary had her Baby.

Staimi attents, staimi a sintì,
Staimi a sintì.
Al è nassud il Redentor
Che l'à di murì par tanc di lor.

Take ye heed, listen to me,
Listen to me.
The Redeemer was then born
Who was to die for so many of us.

Staimi attents, staimi a sintì,
Staimi a sintì.
Al è nassud il Redentor;
In t'une stallute lo chiatarès.

Take ye heed, listen to me,
Listen to me.
The Redeemer was then born;
In an humble stable you will find Him.

(Friulian)

NINNA NANNA (Lullaby)

Fà la nanna, bambin,
Fà la nanna, bel bambin,
Fra le braccia della mamma,
Fra le braccia della mamma,
Fà la ninna, fà la nanna!

Go to sleep my baby,
Go to sleep my little babe,
In your mommy's loving arms,
In your mommy's loving arms,
Go to sleep, go to sleep!

Chè la mamma è qua,
E il papà ritornerà;
Fà la ninna, fà la nanna,
Fà la ninna, fà la nanna,
Fra le braccia della mamma.

For your mommy is here,
And your daddy will be back;
Go to sleep, go to sleep,
Go to sleep, go to sleep,
In your mommy's loving arms.

Se il papà non tornerà
La tua mamma piangerà
Ma il bambino non vedrà
Perchè nanna ancor farà . . .
Na-na-na . . . Na-na-na . . .

If your daddy should not be back
Mommy then will surely weep
But her baby will not see
'Cause asleep he still will be . . .
Na-na-na . . . Na-na-na . . .

Fà la nanna, bambin,
Fà la nanna, bel bambin! . . .

Go to sleep, my baby,
Go to sleep, my darling babe! . . .

(Venetian)

COME IL PENDOLO

Co-me il pen-do-lo del-l'o-rivo-lo Sem-pre tic-che Sem-pre tac-che, il mio cuo-re Sem-pre fa....

SETA, MONETA

Se-ta, mo-ne-ta, Le don-ne di Ga-e-ta, Che fi-la-no la se-ta, la se-ta e la bam-ba-gia, Bam-bi-ni, chi vi pia-ce? aCi-li-ne Che fan-no coc-co-dè.

PANINO D'OR

Il pan nel for-no cuo-cen-do sta E il fan-ciul-lo se-du-to l'a-spet-ta già, E il fan-ciul-lo se-du-to l'a-spet-ta già.

E' ARRIVATO L'AMBASCIATORE

Allegro

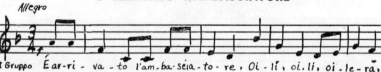

I Gruppo E ar-ri-va-to l'am-ba-scia-to-re, Oi-lì, oi-lì, oi-le-rà,

E ar-ri-va-to l'am-ba-scia-to-re, Oi-lì, oi-lì, oi-là.

II Gruppo Co-sa vuo-le l'am-ba-scia-to-re, Oi-lì, oi-lì, oi-le-rà,

Co-sa vuo-le l'am-ba-scia-to-re, oi-lì, oi-lì, oi-là?

LA GALLINA DELLA CECCA

Moderato

mp Don-na Cecca ha una gal-li-na che fa l'o-vo ogni mat-ti-na, E u-na

vol-ta due ne fè, E u-na vol'-ta due ne fè. La più

bel-la non ne diè, no! La più bel-la non ne diè, no! Coc-co-

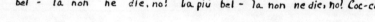

-dè, coc-co-dè, coc-co-dè, coc-co-dè, coc-co-dè, coc-co-dè, coc-co-dè, coc-co-

-dè, coc-co-dè, coc-co-dè, coc-co-dè, coc-co-dè, coc-co-dè, coc-co-dè!

FENESTA CHE LUCIVE

QUEL MAZZOLIN DI FIORI

Quel maz-zo-lin di fio-ri Che vien dal-la mon-ta gna, Quel maz-zo-lin di fio-ri Che vien dal-la mon-ta — — gna, E ba-da ben che non si ba-gna Per-chè l'è da re-ga-lar. E ba-da -lar.

SANTA LUCIA

Sul ma-re luc-ci-ca L'a-stro d'ar-gen-to, Pla-ci-da è l'on-da, Pros-pe-ro il ven-to; Sul ma-re luc-ci-ca L'a-stro d'ar-gen-to, Pla-ci-da è l'on-da, Pros-pe-ro il ven-to: Ve-ni-te al-l'a-gi-le Bar-chet-ta mi-a, San-ta Lu-

SANTA LUCIA (con't.)

ci - a, San-ta Lu - ci - a, Ve-ni-teal-l'a-gi-le Bar-chet-ta

mi - a, San-ta Lu - ci - a, San-ta Lu - ci - a.

GIOVANOTTINA CHE VIENI

moderato

"Gio-va-not-ti-na che vie-ni al-la fon-te, Due stel-le in fron-te ti ve-do bril-

-lar." "Gio-va-not-ti-no che par-li sì be-ne, D'a-mor le pe-ne fan trop-po pe-

-nar! Che co-s'è, co-sa non è? Per me sei fat-to, son fat-ta per

te!" Che co-s'è, co-sa non è? Per me sei fat-ta, son fat-to per

te!" "Mio bel te-so-ro, te-so-ro mio bel, Dam-mi la ma-no ci met-to l'a-

-nel." "Che co-s'è, co-sa non è? Per me sei fat-to, son fat-ta per te!"

ALLA MATTINA MI ALZO ALLE NOVE

Moderato

Mf Al - la mat-ti - na mi al - zo al - le no -

- ve con u - na fac-cia co - lor d'un li - mo -

- ne E mi la - vo con ac - qua e sa - po -

- ne per com - pa - ri - re u - na gio - va - ne d'a - mor.

E mi la - vo con ac - qua e sa - po -

- ne per com - pa - ri - re u - na gio - va - ne d'a - mor.

LA ROSA È IL PIÙ BEL FIORE

Moderato

mf La ro-sa è il più.. bel.. fio — — re, fio-re di

gio - ven - tù......; Na-sce, fio-ri-sce e muo--

-ve E non ri-tor - na...... più. Ed io t'a-

ma-i -a-i -a-i -a-i, T'a-do-ra-i -a-i -a-i-

rall.   *mf*

ai E t'a-mo an-co - - - ra. Co-me un a-gnel-lo

do-ci - -le Ti se-gui-rà il mio ..... cor.

MI VOTU E MI RIVOTU SUSPIRANNU

LAUDA DI SANT'ANTONIO

Andante

An - to - ni chi sos cher-ved-dos Ti lam-pa-na che ar-va-ta... Pre - - ca pro sos mo-i-thed-dos Chi lis fa - cat bo-nàn-na-ta,.. Cà si no-no sa pa-na-ta Sen-za me-- le ti l'a chi-mus-- An-to-ni de Pa-du-a-nu, Pre-ca pro su bo-de-in-u!..

VECCHIA CANZONE DI NATALE

Allegro

Stai-mi at-tents.Stai-mi a sen-ti, Stai-mi a sin-ti..... La o-ra-zion che us ai da di, La o-ra-zion che us ai da di.

NINNA NANNA

Andante

mp 1 fa' la nan-na bam-bin, fa' la nan-na bel bam-bin, fra le brac-cia
2. Chè la mam-ma è qua, e il pa-pà rit-orn-e-rà; fa' la nin-na,

del-la mam-ma, fra le brac-cia del-la mam-ma, Fa' la nin-na, Fa' la
fa' la nan-na, fa la nin-na, fa' la nan-na, fra le brac-cia del-la

nan-na! 3. Se il pa-pà non torn-e-rà La tua mam-ma pian-ge-rà,
mam-ma.

Ma il bam-bin-o non ved-rà Per-chè nan-na an-cor fa-rà Na-na

na, Na-na-na. fa' la na-na, bam-bin, fa' la na-na bel bam-bin!